JN124452

土地買収顛末記

行政のうそごまかし

コンサルタント
田中賢二
Kenji Tanaka

はじめに

森友学園の国有地売却問題よりも身近な地方自治体の私有地買収ドキュメント。

政権・行政のうそ・ごまかし・おごりが末端の行政にまで蔓延している実態を示す。

道路建設に伴う土地買収における買収価格・残地補償・建屋補償などに関して、法規・資料・データーをでっち上げる・ごまかす行政の手法を暴き、土地買収の仕組みと行政への対処法を学ぶ。

政権・行政府においては、すなおに誤りを認めればすむことを、取り繕いと保身に時間・税金を無駄使いしている状況を憂い、本件のようなお粗末なレベルの話をあえて公開する。

田中賢二

もくじ

第Ⅰ章 土地買収

1.経緯〜買収方式〜税

相続した土地・建物(当方からのアクセスに最短で5時間を要す場所で祖父の代に取得した田舎の土地)について、市の道路拡幅・橋梁改修のため買収の知らせが届く。

買収は区画整理事業※に比べて事業費が少なくてすむ街路事業※であり、事業に必要な部分のみの土地を買収する方式である。

(道路区画図面)

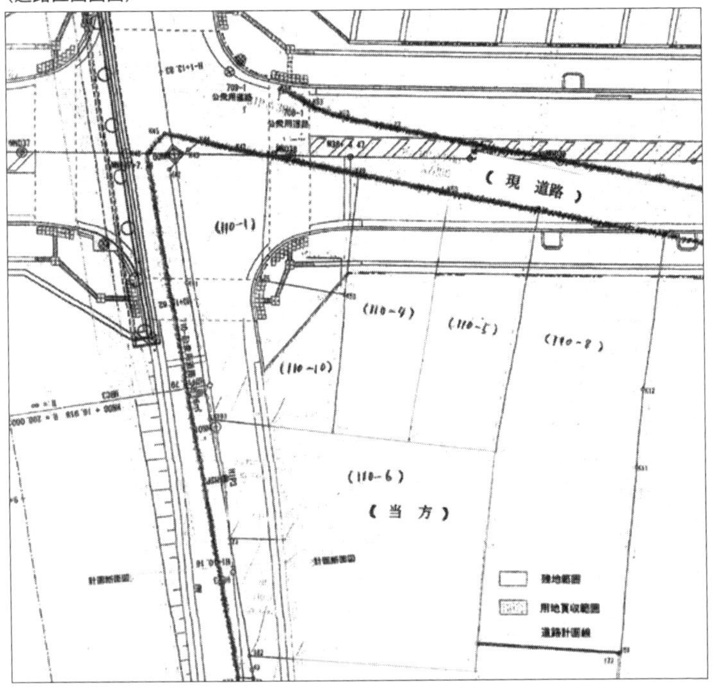

※土地区画整理事業：全ての宅地を整形するとともに、道路や公園、上・下水道なども総合的に整備する。

※街路事業：計画された幹線道路を整備するが、生活道路や宅地の整備は行わない。道路部分しか買収しないため、不整形な土地が残ることがある。

境界画定の立ち合いに出向いたところ、土地標識の一部が障害物により認識できず、後日に障害物を取り除いて確認のうえ処置することとなった。

後にわかったことだが、けっきょくその標識は見つからず、市の外注測量会社が勝手に新たな標識を設置して境界としていた。その標識位置は、正しい位置といえるものではなかった。あらためて確認処置をしたが、このことが市に対する不信の始まりであった。

もりかけ市（仮称）よりメールが届く

先日は遠いところをお越しいただきありがとうございました。おかげさまで補償調査が終わり、現在は図面の確認等に入っています。今後の流れとしては次のようになります。

（市側）　図面等の確認（修正があれば修正）

↓

（地権者側）　図面等の確認（修正があれば修正）

↓

（市側）　補償額算出

補償交渉

図面等につきまして、来週中の発送を予定しております。図面等を確認していただき、修正等がなければ補償金額を算定させていただきます。

1週間後、もりかけ市より資料が届いた。資料について当方より連絡をする

資料を受領しました。下記の問い合せをします。

①建物(駐車場)

資料は説明を受けないとわからないが、大きな問題があるとは想定されません。問題は建て替え費用等、補償の考え方であり資料からは不明。

②土地

図面は大雑把で詳細不明。

・要提供土地の位置ポイント、高低、㎡数等

・隣接周辺土地関係、新設道路図面(110－1, 4, 5, 8他)

※当方の今後の土地利用検討に必要。

もりかけ市より回答が届く

建物(駐車場)と土地について質問いただきました件、回答させていただきます。

補償の考え方

①建物(駐車場)について

構外再築工法※を適用しました。

用地補償Q&A - 国土交通省 東北地方整備局　HP参照

http://www.thr.mlit.go.jp/Bumon/B00091/youti/situmon/situmon.htm

補償額につきましては図面等が確定してから算出するため、現段階ではご提示できませんが、提示させていただく補償内容は下記のようになります。

・建物補償
・工作物(フェンス等)
・廃材運搬費および廃材処分費(解体費および産業廃棄物処分費)
・その他、移転雑費(登記費用や建築確認申請等に要する費用等)
・用地費(土地代)

②土地については送付資料を参照願います。

回答に対して当方より連絡

添付資料から初めて具体的内容が少し見えてきました。見えてきた内容からは以下の点が問題と思われますが、どのように考えるべきでしょうか？

※構外再築工法：他の土地に従前の建物と同種同等の建物を建築する工法。

問題①　新設道路面と当方土地面の高低段差

計画では新設道路面と当方土地面に高低段差が0.76～1.24m発生するもよう。

・宅地として利用不可能となる。
・残地は橋の下の低地となり土地評価ダウンとなる。
　※例示の公民館は土地面積が広く他に入り口があるのでは？
　※接続の土地１１０－1, 4, 5, 8はどのようになっているか？
　（道路面との土地高低差、移転の有無）

問題②　土地税制

建屋は構外再築工法とのことだが、建屋がなくなった後の土地の税はどのようになるか？

もりかけ市より回答が届く（以下、メールのやりとりを記す）

【もりかけ市】

問題①　新設道路面と土地面の高低差について

「高低差ができるため、土地への出入りが困難になる。例示の公民館は土地面積が広く他に入り口があるのでは？」という質問ですが、公民館はスロープを設けています。

「橋の下の低地となり土地評価ダウンとなる」という質問については、一般的には前面道路と土地の間で高低差が発生することは土地評価にあたってマイナス要因となりますが、土地を買収させていただくことによって不整形だった土地が整形になるなどのプラス要因が発生する場合があり、現時点で土地評価がダウンするとは断言できません。

そのため残地についての評価を算出し、価値の減少が発生する場合については残地補償を検討しています。残地補償については価値の下落に対して補償を行うので、全地権者に必ずしも残地補償が発生するというわけではありません。

問題②　土地税制について

建物がなくなった場合、建物分の固定資産税は減少します。土地については税務課によれば、地価の上昇等がなければ基本的には高くならないとのことでした。建物を壊すことで課税地目の変更はあったとしても、税額の増加はないだろうとのことです。固定資産税のことについては、担当が固定資産税係となりますので詳細については固定資産税係に確認していただければ幸いです。

【当方】

質問①　税については担当課に聞けということであるが、対応窓口として「課税地目の変更」による税率の変動について税務担当課に確認していただきたい。「額の増加はないだろう」とのことであるが、額は別として課税の考え方、税率の変動・増減について知りたい。

質問②　土地の高低差の発生に対してはスロープを設置する案があるとのことだが、スロープ分だけ土地利用が制限されるが、それに対する補償の考え方はどのようになるか。

質問③　今後の当方の土地利用の検討のため、当方に接続する周辺土地の状況を知らせていただきたい(１１０－４および５　家屋移転？　他)。

質問④　本題の補償額については補償案の内容(考え方、明細)を連絡もらえればと思います。

【もりかけ市】

質問①について、固定資産税係より別紙にて回答させていただきます。

（別紙_固定資産税）

固定資産税は次のような手順で税額が決定されます。

1. 固定資産を評価し、その価格を決定し、その価格を基に、課税標準額を算出する。
2. 課税標準額×税率＝税額　となる。

ここで、「固定資産を評価し、その価格を決定し、」とは、市街地に所在する土地であれば前面道路に付設されている路線価を基に価格を決定することを意味します。

土地の課税地目は、賦課期日（1月1日）の利用状況により決定されます。

課税標準額は、原則として、価格と同一額となりますが、住宅用地のように課税標準の特例措置が適用される場合や税負担の調整措置が適用される場合は、課税標準額は価格よりも低く算出されます。課税標準の算出方法を次に一部例示します。

宅地（200 ㎡以内の土地で課税標準の特例措置が適用される場合）について
価格×1/6＝課税標準額
宅地（商業店舗等が所在する非住宅用地）について
価格×0.7＝課税標準額

最後に、税率は、各市町の条例で定められており、本市では固定資産税が 1.4%、都市計画税が 0.3%と定められております。

なお、都市計画税は都市計画事業等に要する費用にあてるために課税されるもので、市街化区域内に所在する土地及び家屋に課税されております。都市計画税についても、課税標準の特例措置に関する割合が異なりますが、固定資産税と同様の手順で税額が計算されます。

問い合わせ先　税務課固定資産税係

質問②について、必ずしも全ての地権者に残地補償があるわけではないむねの説明をさせていただきましたが、所有の残地については高低差が発生する(高低差に起因するスロープ設置等の対応が必要になる)ことによる土地価値の低下が想定されることから、これらの損失額を補償するために残地補償で対応させていただきたいと考えております。

質問③について、他の地権者の契約状況や土地利用等に関しましてはお伝えいたしかねますが、具体的な土地を指定していただいて売買の仲介に入った事例がありますので、具体的な要望があれば知らせてください。

質問④について、補償内容に関しては別紙にて回答させていただきます。

(別紙_補償内容)

補償内容	(金額は仮算の数字)
・建物補償	2,700,000円
・工作物	30,000
・廃材運搬費	1,300,000
・移転雑費	1,200,000
・土地代	6,800,000
・残地補償	3,400,000
合　計	15,430,000円

【当方】

趣旨を理解してもらっていないようですので再連絡します。ポイントをしぼっていえば次のことが知りたいことです。

質問①　課税地目の変更(建物および土地→土地)による税率の変動。

質問②　橋の下の低地となることによる土地評価減の補償とは別に、土地の高低差の発生に対して入口確保のため、スロープを設置することによりスロープ分だけ利用できる土地が少なくなる(制限される)ことによる補償。

質問③　１１０－４及び５は建物の一部に道路がかかる計画のようであるが家屋移転されるのか？　残るのか？　(家屋ありなしが、当方の今後の土地・建物の利用計画に関係するため)

質問④　各項目額の算定内容(考え方、計算明細／ポイントだけで可)。

【もりかけ市】

質問いただいた件について回答します。

質問①について、本市では課税地目(宅地・雑種地・田等)に関わらず、固定資産税は1.4%、都市計画税は0.3%となっております。よって課税地目の変更による税率の変動はありません。ただし課税地目の変更により税額が変動することがあります。課税標準の特例措置や税負担の調整措置等が適用される場合があるためです。

質問②について、残地補償に加味されています。なおスロープは意向を確認しつつ、市で工事をさせていただきます。

質問③について、前回も回答させていただきましたが、他の地権者の契約状況や土地利用等につきましてはお伝えいたしかねます。意向を110－4及び5の地権者に伝え、仲介のお話をさせていただくことは可能です。

質問④については次のとおりになります。

□建物補償

建物について現在建築したらどれぐらいの金額がかかるかを算出(推定再建築費)し、基準で定められた耐用年数と建築年から再築補償率を算出します。

※推定再建築費×再築補償率＝建物補償額

解体費については延べ床面積等から数量を算出し、単価を掛けて算出します。

□工作物

フェンス・フェンスブロック・砂利敷が工作物に該当します。工作物の場合も建物に準じて算出します。

□廃材運搬費等

非木造建築物の場合、面積によって標準的な排出量が定められており、木くずやがれき類等の排出量から廃材を運搬するのに必要なトラックの台数を算定し、トラックの必要台数に運搬単価を掛けて算出します。

※廃材運搬費＝トラック所要台数×運搬費単価
トラック所要台数＝廃棄物排出量（㎥）÷台数換算率
廃材処分費＝廃棄物排出量（㎥）×廃材処分単価

□移転雑費

建物等を移転するために支出することが予想される経費で、「移転先を探す費用」「住居移転のための届出等法令上の手続きに要する費用」「代替地等を探すために就業できない日が発生することに対する補償」等になります。具体的には、建築確認費用や登記費用などが該当します。

□土地代

㎡単価×買収予定面積で算出します。

□残地補償

残地補償は従前の土地と比べて取得の対象とならない土地(残地)の面積・形状等が変わったことにより、残地の価値の減少等の損失が認められる場合にはこれらに対する損失を補償します。

※{元地㎡単価－残地㎡単価×(1－売却損率)}×残地面積＝補償額

【当方】

それぞれについて再質問します。

質問①　課税標準の特例措置や税負担の調整措置等が課税地目(建物および土地→土地)により差が出てくるのか？(どのように変動するのか？)

質問②　土地の段差発生による土地価値の減少とスロープ設置は別物と考える(高低差が発生しても他に入口があればスロープを設置する必要はない)。今回、入口がなくなりスロープを設置する必要が生じ、その結果スロープ分だけ残地(利用可能な土地)が物理的に減少する。土地そのものが無くなるわけではないが、しかるべき補償があるべきではないか。

質問③　他の地権者の契約状況や土地利用等について伝えろといっているのではありません。接続地がどのような状況であるか(家屋の有無・段差等)が、当方の土地利用に影響するため(家屋の建設位置を敷地内の何処に計画するか、入口スロープを何処にするか等を検討するため)、接続地の基本的最低限の状況を知りたいだけです。

質問④　土地代㎡単価およびその算定根拠、計算明細をお願いします。

【もりかけ市】

再質問について回答させていただきます。

質問①について

課税標準の特例……住宅用地に対する課税標準の特例は、居宅のある宅地(住宅用地)にのみ適用され、店舗や倉庫等のある宅地(非住宅用地)には適用されません。よって居宅が滅失し更地となる場合は増額要因となりますが、居宅以外の建物が滅失した場合には要因となりません。

税負担の調整措置……地域や土地によって評価額に対する税負担に格差があるのは税負担の公平の観点から問題があることから平成９年度以降、負担水準(評価額に対する前年度課税標準額の割合)の均衡化を重視した調整措置が講じられています。具体的には負担水準が高い土地は税負担を引き下げたり据え置いたりする一方、負担水準が低い土地はなだらかに税負担を引き上げていく仕組みとなっています。したがって課税地目に関わらず負担水準により税額に影響することがあります。

質問②について

土地価値評価低下の補償及び残地が物理的に減少することによる補償を総合的に判断し、補償額を決定しております。

質問③について

接続地の地権者様が将来的にどのような意向かは把握していませんが、現状は筆界確認時と変わっていません（１１０－１、１１０－５、１１０－８、１１０－１３は家屋あり、１１０－４は家屋なし）。

質問④について

土地代㎡単価、およびその算定根拠は次のとおりです。標準価格を求め、それから土地の個別要因を考慮して評価しています。

㎡単価＝標準価格×個別要因、
標準価格は100,000（円／㎡）です
個別要因は次のとおりです。
※個別要因＝①街路×②交通近接×③環境×④画地×
⑤行政×⑥その他
＝①102/100×②100/100×③99/100×④104/100×
⑤98/100×⑥100/100
≒103/100

㎡単価＝100,000×1.03≒103,000（円／㎡）
よって㎡単価は 103,000（円／㎡）

算定根拠（各個別要因）は以下のとおりで、±要因がない場合は100/100になります。

個別プラス要因

①街路（幅員～5.5）　+2

幅員(m)	～1.5	～2.0	～2.5	～3.0	～3.5	～4.0	～4.5	～5.0	～5.5	6.0～
格差率(%)	▲11	▲9	▲7	▲5	▲3	▲1	±0	+1	+2	+3

④画地（接面道路の方位南東）+4

方位	北	北東	東	南東	南	南西	西	北西
格差率(%)	±0	+1	+3	+4	+4	+3	+2	+1

個別マイナス要因

③環境（下水道無）　－1

優劣	有	無
格差率(%)	±0	▲1

⑤行政（規制河川保全区域）　－1

区分	指定なし	指定あり
格差率(%)	±0	▲1

⑤行政（規制埋蔵文化財包蔵地）　－1

区分	範囲	範囲内
格差率(%)	±0	▲1

計算

①街路　100/100×102/100＝102/100

②交通近接　100/100

③環境　100/100×99/100＝99/100

④画地　100/100×104/100＝104/100

⑤行政　100/100×99/100×99/100≒98/100

⑥その他　100/100

第Ⅱ章 残地補償

1.段差とスロープの関係

残地補償について市は橋の下の低地となることによる土地評価ダウンと、入り口確保のための残地内に設置するスロープ分の宅地利用減少を併せて画地(道路との高低差)規準で考えるとのことだが、当方は別ものでそれぞれの基準で補償を考えるべきと主張した。以下そのやりとりである。

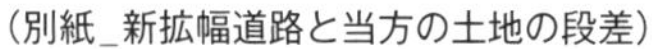
(別紙_新拡幅道路と当方の土地の段差)

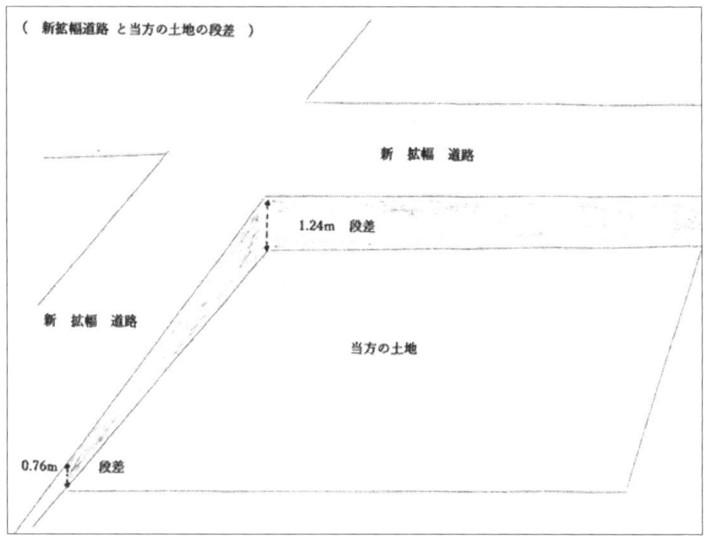

【当方】

残地補償について画地(道路との高低差)規準でスロープ設置に対する補償をみているとのことだが、どのようにみているのでしょうか？

土地の段差発生によって必要となるスロープを当方の土地内に設置することは、残地(宅地として利用可能な土地)が物理的に減少することになります。従前の用法による利用が、スロープ分だけできなくなることと、そもそも橋の下の低地になることによる土地価値評価の低下とは別の事と考えます。
したがって補償は
①橋の下の低地になることによる土地価値評価低下の補償。
②スロープを当方の土地内に設置する場合、宅地として利用可能な土地が物理的に減少する、従前の用法による利用がスロープ分だけできなくなることの補償になると考えます。

【もりかけ市】

もりかけ市におきましては、①土地価値評価低下の補償および、②残地が物理的に減少することによる補償を総合的に判断し補償額を決定しております。以下がその考え方等です。

残地補償の考え方につきましては、前回に回答させていただいたとおりです。スロープを設置させていただくことにより、従前の用法による利用を維持できると考えられるため、本来であれば高低差補正なしの計算となります。

しかし実際には高低差が発生し、スロープを設置させていただいても残地が物理的に減少する等、利用価値が下がると判断し高低差補正を▲10加えて算定します。

個別要因

＝①街路×②交通近接×③環境×④画地×⑤行政×⑥その他

＝①102/100×②100/100×③99/100×④94/100×

⑤98/100×⑥100/100

≒93/100

※④画地は高低差の補正▲10と方位+4の積

90/100×104/100≒94/100

指摘がありましたスロープ設置により「残地が物理的に減少することによる補償があると考えられる」ことにつきまして、おっしゃられることは理解しますが、そういった補償ができるのかどうかを法律及び判例等を基に判断したいと考えております。この判断にはもうしばらく時間をいただけたらと思います。

【当方】

①土地価値評価低下の補償および②残地が物理的に減少することによる補償を総合的に判断し、補償額を決定している

とのことですが、「総合的に判断」の意味が理解できません。2点の異なる要素を非理論的に1点にしぼることをいうのでしょうか。

スロープを設置することにより従前の用法による利用を維持できると考えられるため、本来であれば高低差補正なしの計算となるとのことですが、スロープを土地内に設置するとすればスロープ分だけ従前の用法による利用を維持できない(この点に補償がないとすればスロープを当方の土地の外に設置してもらうことになります)。

実際には高低差が発生しスロープを設置しても残地が物理的に減少する等、利用価値が下がると判断し高低差補正を▲10加えて算定しているとのことですが、残地が物理的に減少することによって利用価値が下がるのではない。橋の下の低地となることにより土地価値評価が低下するのである(スロープ設置とは直接的に関係しない)。段差が発生しても他に入り口があればスロープ設置を設置する必要はない。

スロープ設置により残地が物理的に減少することによる補償があると考えられることについては理解はするが、そういった補償ができるのかどうかを法律および判例等を基に判断したいと考えているとのことですが、個別要因(①街路　②交通

③環境　④画地　⑤行政　⑥その他）の「⑥その他」で対応可能では？　法律および判例をひもとくまでもないのでは？
※低地対応は④画地要因、スロープ対応は⑥その他要因。

【もりかけ市】

残地補償の件につきまして残地工事（スロープ設置等）を施工後に残地工事を行った部分（スロープ設置等部分）の補償ができるかどうかは、明文の規定がないため判例を基に判断していくようになります。そこで判例を探してみましたが、判例は古いものしか見当たりませんでした。補償した例、補償していない例どちらとも存在しております。

今回につきましては指摘の内容もふまえ補償することも考えておりますが、先にも申しあげたとおり古い判例しかないため、内容を精査したうえで判断したいと考えております。最終的な結論が出るまでもう少しお待ちいただきますようお願いいたします。

【当方】

コスト（労力・時間）の意識が薄いように思います。

早期に終了することに資するため、提案した個別要因（①街路　②交通　③環境　④画地　⑤行政　⑥その他）の「⑥その他」で対応してもらえればよいと考えています。

2.段差補償（8%～10%？）

市の判例精査の間、段差補償の考え方を確認した。以下はその確認のやりとりである。

【もりかけ市】

段差補償は土地高低差（0.76～1.24m）の中庸値【1.00m】を採り▲10とする考えでしたが、今回は補償の考え方を別にしており、スロープ想定面積・高さ・勾配を把握したうえで、残地が物理的に減少することによる補償の計算を行っております。その中でスロープ想定設置高さ最大0.80mと最少高さ0.76mの場所にスロープを造れば、敷地内に車が進入することができ、従前の駐車場として使用することができるため、以下の表により▲8補正といたします。

優劣	普通	やや劣る	劣る	相当に劣る	極端に劣る
等高～	0.5m高	～0.5m低	～1.0m低	～1.5m低	～2.0m低
格差率(%)	±0	▲5	▲10	▲15	▲20

※道路より低位の場合は0.1m毎に▲1とする

【当方】

意味がよくわかりません

「道路より低位の場合は0.1m毎に▲1とする」この規準は何か？　ここからスロープ想定設置高さ最大0.8mを採り、▲8と計算したように推定されるが説明願います。表との関係は？そもそもこの表は何？

表に当てはめると、0.8mは、「劣る、～1.0m、▲10」ではないか？

【もりかけ市】

この表は道路と敷地との間に生じる高低の差に対する補正率を示した表です。

【当方】

表の出所をたずねています。

【もりかけ市】

土地価格比準表※を基に不動産鑑定士が作成したものを引用しております。

※土地価格比準表：国土利用計画法の適切な施行のため、地価公示標準地等からの統一的、合理的な比準（要因比較）方式の確立を目指して作成されたもの。

【当方】

意味不明です。

表に当てはめると、0.8mは「劣る、～1.0m低、▲10」となる。

※印で表記されている「道路より低位の場合は0.1m毎に1m毎に▲1とする」を適用すると▲8になる。つまり「▲8に該当」するということは※印を適用したということ？　なぜ表に当てはめず※印を適用するのか？　※印と表との関係は？

【もりかけ市】

表につきまして正式には以下の表となります。この表に従いますと▲8に該当いたします。前の表は下記表現ではスペースをとるため、簡略化したものを示しておりました。

格差率(%)

普通	等高～0.5m高				
	±0				
やや劣る	～0.1m低	～0.2m低	～0.3m低	～0.4m低	～0.5m低
	▲1	▲2	▲3	▲4	▲5
劣る	～0.6m低	～0.7m低	～0.8m低	～0.9m低	～1.0m低
	▲6	▲7	▲8	▲9	▲10
相当に劣る	～1.1m低	～1.2m低	～1.3m低	～1.4m低	～1.5m低
	▲11	▲12	▲13	▲14	▲15
極端に劣る	～1.6m低	～1.7m低	～1.8m低	～1.9m低	～2.0m低
	▲16	▲17	▲18	▲19	▲20

【当方】

小学生が見るような表が本当にあるのでしょうか？　土地価格比準表の当該ページのコピーを送付願います。

【もりかけ市】

この表につきましては、土地評価比準表を参考に不動産鑑定士が作成したものを引用しております。

【当方】

土地評価比準表と不動産鑑定士が作成したものという表(小学生が見るような表)の数値の関連、結びつきがわかりません。知識のない素人のうえに頭のよくない者にわかりやすく説明願います。

【もりかけ市】

土地価格比準表で記載された格差率は全国一律でございます。しかし土地の価格に与える影響は地域によって相違しているため、実際には地域の実態に即していない部分が生じております。そういった場合には地域の実情に合わせて適宜判断していく必要があるとされております。

上記内容をふまえたうえで、地域の実情に詳しい不動産鑑定士が作成したものを引用しております。

【当方】

基本規準があって、そのうえに地域の実情が加味されることはあるでしょう。しかし基本規準もなく、一不動産鑑定士がかってに自分の考えで規準を作成するというようなことは考えられません。

一つずつ確認していていくと時ばかり空費しますので、仮定で話を進めます。仮に上記のようなことが許されるとして、独自に作成する根拠となる特別な「地域の実情」たるものを知らせてください(特別な地域の実情があるとは思えません)。

また別の観点からいえば、なぜスロープの高さ0.76mを採るのですか？　当初のとおり土地高低差0.76～1.24mの中庸値1.00mを採るほうが適正だと思います(もしくは、最大値1.24mを採るべきだと考えます。市場での土地の評価は、最大劣る部分1.24mにより評価されます)。

【もりかけ市】

スロープの高さについて、スロープは一番低い部分に設置するのが原則とされております。今回については、0.76m高の所にスロープを造れば土地に進入することができるようになると考えられるため、▲8で補正しております。この補正については妥当であると市は考えております。

【当方】

スロープは一番低い部分に設置することはわかりますが、0.76m高の所にスロープを造れば土地に進入することができるようになるという理由でなぜ▲8（0.76m）で補正することになるのですか？

スロープの高さと橋の下の低地となることによる土地価値評価低下とは直接関係しない、関係するのは土地の高低差です。

3.スロープ補償（35％〜50％？）

判例精査がついたとのことで市より連絡あり、その内容の確認をした。

【もりかけ市】

判例を精査いたしました。用地対策連絡協議会※等にも確認しましたが、判例は古いものしかなく現在の補償の考え方は前回まで市が示した考え方が積極説となっております。しかし今回は指摘の内容もふまえ、判例で支払った例と今回のケースを比較検討し、残地価格の35％で補償計算をしたいと思います。

【当方】

判例を知らせていただきたい。

【もりかけ市】

判例につきましては昭和５９年に行われた土地買収事例です。概略としましては道路と敷地との間に高低差が生じることによりスロープを設置することになりますが、敷地部分の用途が進入路として限定されることにより損失が生じると認

※用地対策連絡協議会：公共・公益事業に伴う用地取得に関し、関係現業機関の相互の連絡を図り、用地取得の促進、補償に関する調査等を行っている官民の会員組織。

められた場合の事例であり、この内容をもとに計算しております。

【当方】

判例のコピーを送付願いたい(35%はどこから出てくるのかわからない)。

【もりかけ市】

判例につきましては申し訳ございませんが個人情報を含むため、送付いたしかねますので判例内容のポイントを示します。

(判例内容)
□道路と敷地との間の高低差最大1.7m。
□高低差が生じたため、スロープを設置。
□スロープ設置により敷地部分の用途が進入路として限定されることにより損失が生じると認められたため、残地価格×50%×スロープ面積分を補償。

この判例は今回の事例よりさらに高低差が生じているため、このまま採用することはできません。そこで次にかかげる表をもとに35%で計算しております。

高低差(最大)	～0.6	～0.7	～0.8	～0.9	～1.0	～1.1	～1.2	～1.3	～1.4	～1.5	1.5以上
格差率	0%	5%	10%	15%	20%	25%	30%	35%	40%	45%	50%

【当方】

この表は何？　表の出所をたずねます。

【もりかけ市】

土地価格比準表の中に高低差0.6m以下の土羽※の法地※部分については、これを崖地として取り扱わないむねの記載があります。一方、判例は道路と敷地との間の高低差最大1.7mのときに残地価格の50％を補償しております。上記2つの内容を考量し作成したものでございます。

【当方】

何度も述べていますが、当項目はスロープの件で土地価格の評価とは別である。スロープ分だけ従前の用法による利用ができなくなることの補償です。

判例の意味は本来１００％補償だが、土地そのものが無くなるわけではないのでフィフティ・フィフティの５０％にしたと考えます。

高低差の数値がどうして関係してくるのか？　高低差の数値により、従前の用法による利用ができなくなることに変わりが出てくることはない(高低差によりスロープ面積数が変わ

※土羽(どは、土坡)：土工の用語で盛土などの、仕上げのり面(斜面)。
※法地：法面(のりめん)ともいい、実際に宅地として使用できない斜面部分を指す。

ることはあるかもしれないが、それは算定面積に反映されることになる)。

本件で高低差の数値は、関係ない話である。あえていえば、高低差の数値は算定する残地価格に反映されている。

したがって根拠のない３５％で計算するのではなく、判例にしたがい５０％で計算すべきであると考えます。

必要な部分だけ買収するという買収側に都合のよい方式を採り、残った土地が劣悪な土地(橋の下の低地)になることについては問題ありと思っているが、市勢の進展のために協力する気持ちでいる。しかし今回の内容は少々ひどすぎる。想像もしなかった筋の悪い(少しでも補償額を引き下げてやろうという意地悪い？)考えである。「でっち上げ表」と言わざるをえません。

今回の筋の悪い考えは「収用するんだ」「残った土地がどうなろうが知ったことではない」とする姿勢、劣悪な土地(橋の下の低地)なって申し訳ないという気持ちが全くない中から出てきたものと考えます。

第Ⅲ章 建屋補償

建屋(賃貸駐車場)は拡幅道路にかかり土地買収の対象となる土地上にあり解体撤去となる。補償は構外再築工法(既出p.9)がとられている。

1.売却損率(5%～15%?)

【もりかけ市】

残地の売却損率は建物の移転先等の代替地を取得するため当該残地を早急に売却する必要があるときに適用するもので、当該残地の評価格と必要となる早急性の程度等を勘案のうえ、０～３０％の範囲内に定めるものとなります。

標準地と残地の格差率

1－(93,000/103,000)＝0.097087≒9.7%

必要となる早急性の程度

格差率	5%未満	5%以上10%未満	10%以上20%未満	20%以上
高い	10	20	25	30
普通	5	15	20	25
低い	0	5	10	20

以上により売却損率は5% (0.05)となります。

この売却損率に関して疑問点を質問した。

【当方】

売却を「急ぐ(高い)」および「普通」が、格差率に対して割増(10%→15～20%)になるのに対して、「急がない(低い)」が、なぜ割減(今回9.7%→5%)になるのでしょうか？

売却を急ぐ者が買いたたかれて損を被ることは考えられるので割増は理解できる。一方、急がない者がプラス売却価格となるか？　格差率を割減するほどのプラスを得られる可能性は低い。格差率(9.7%)数値をそのまま採るべき、割減(9.7%→5%)は合理的ではない。先に問題としていた土地の高低差に関する格差率は１％毎の表があるとされるが、本表も１％毎の表があるのでは？

早急性の程度(高い・普通・低い)を判断する規準は何？

【もりかけ市】

早急性の程度を判断する規準は別紙の損失補償基準にもとづき決定されております。今回のケースは公共用地の取得に伴う損失補償基準細則第21第1項(二)に該当となります。

（別紙_損失補償基準）

１　別表第１０（残地売却損率表）の「必要となる早急性の程度」の区分は、次のとおりとする。

高　い	建物移転先地を取得する場合（建付地）
普　通	細則第２１第１項（一）に掲げる土地等を取得する場合（建設予定地）
低　い	細則第２１第１項（二）又は（三）に掲げる土地等を取得する場合（資材置場等）

ただし、当該土地等の実態等を勘案し、上記区分により難い場合は、適正に補正するものとする。

（注）災害復旧事業、激甚災害対策特別緊急事業等の緊急に施行を要する事業において、事業の完成時期により早急な土地等の引き渡しを必要とする場合は、その実情を考慮のうえ、１ランク上位の区分を適用できるものとする。

細則第２１第１項

（一）次の各号に掲げる手続等がとられていることにより、近い将来建物等の敷地の用に供されることが明らかであると認められる土地等の取得又は土地等の使用に係る空地（たな卸資産を除く。以下「建設予定地」という。）の所有者又は借地人が建物等の敷地の用に供するために当該建設予定地に替えて必要とする土地等

一　建築基準法（昭和２５年法律第２０１号）第６条による確認若しくは確認の申請又は同法第１５条による届出

二　農地法（昭和２７年法律第２２９号）第５条による許可、許可申請又は届出

三　土地に係る権原の取得を条件として付された建築着工期日の制限があること。

四　都市計画法（昭和４３年法律第１００号）第２９条による開発行為の許可又は許可申請

五　都市緑地保全法（昭和４８年法律第７２号）その他の法令による建築物等の新築の許可又は許可申請

（二）　継続して資材置場、貯木場、自動車の保管場所、製品干場その他の作業場等の用に供されており、かつ、その用に応ずるためのフェンス、アスファルト舗装等の施設が整備されている土地等の取得又は土地等の使用に係る土地の所有者又は借地人が引き続きこれらの用に自ら供するために必要とすると認められる土地等

（三）　事業の施行により経営地の全部又は大部分を取得され、かつ、当該地域における農地の需給状況からみて代替農地の取得が客観的に可能な場合において農地の耕作者が必要とする代替農地

【当方】

細則第21第1項(二)に該当ではなく、(一)に該当ではないか。

本件の駐車場は従来から「建物」として整理されている。「建物(駐車場)；構外再築工法を適用」とされている。

「資材置場・貯木場・自動車の保管場所等でフェンス・アスファルト舗装等の施設が整備されている土地」として、細則第21第1項(二)に該当するとするのは適切な解釈でしょうか。

【もりかけ市】

細則第21第1項(二)に該当ではなく(一)に該当ではないかとのことですが、この売却損率は建物移転先地を取得するために当該残地を早急に売却する必要があると認められる場合に考慮するとされております。居住用の建屋が構外再築になれば、早急に他の土地を購入し再築する必要があるので、必要となる早急性の程度の区分は高いと判断されます。今回については居住用の建屋でなく自動車の保管場所として使用しているため、細則第21第1項(二)に該当し、必要となる早急性の程度の区分は低いと考えております。

【当方】

細則第21第1項(一)は「居住用の建屋」とは限定していない。細則第21第1項(二)は「場・場所」であり、「建物」ではない(フェンス、アスファルト等の施設とも異なる)。条文上、なぜ細則第21第1項(二)に該当するといえるのでしょうか。

また居住用の建屋は早急性があり、駐車場用の建屋はなぜ早急性がないといえるのでしょうか？　顧客(多数の長期契約駐車場利用者)に対して、当方の営業上、および顧客の日常生活上、早急に確保する必要があります。

【もりかけ市】

多数の長期契約駐車場利用者がいらっしゃるとのことですが、現在の駐車契約状況(契約台数等)を知らせていただけないでしょうか。

【当方】

長期契約駐車場利用者９名です(建物内８名、建物外１名)。なぜこのような本筋をはずれた質問をして、時を空費されるのか理解に苦しみます。本筋の当方の疑問に答えてください。

【もりかけ市】

ご質問に対する解答ですが、居住用の建屋については次に住む所がなければ生活できなくなるため、早急に代替地を買い新しく住まいを構える必要があると考えられます。また今まで駐車場として利用されていた土地の残地面積が極小となり、駐車場としての機能が全く保てなくなる場合には代替地を早急に買う必要があると考えております。

上記の場合には早急性の程度は高いと判断されます。しかし今回のケースにつきましては、現在貸されている台数の大半については、駐車場スペースを確保することができると考えられるため、早急性の程度は低いと考えております。

【当方】

青空駐車できるから早急性の程度は低いというのは恣意的判断である。規則規準からは早急性の程度は低いということにはならない(高くもなく低くもなく、普通である)。

【もりかけ市】

公共用地の取得に伴う損失補償基準細則第21第1項(二)によりますと、継続して自動車の保管場所の用に供されており、土地等の使用に係る土地の所有者または借地人が引き続きこれらの用に自ら供するために必要とすると認められる土地と記載されております。

借地人についてはできることであれば現在の場所に車を停めることを望まれることが想定されるため、上記条文に該当すると考えております。以上のことから、規準どおりに考えますと、必要となる早急性の程度の区分は低いと解釈するのが妥当であると考えております。

【当方】

再度述べますが、本件は「建物」である。したがって損失補償基準細則第21第1項(二)にはあたらない。細則第21第1項(一)にあたります。

損失補償基準細則第21第1項(二)は、自動車の保管場所等の「場・場所」のための土地を求める場合をいっているのであって、「建物」のための土地を求めることをいっているのではない。

【もりかけ市】

細則第21第1項(一)にあたるとのことですが、細則第21第1項(一)は残地補償を算定する時点でその土地に近い将来建設する予定があるため、建築物新築等の建築基準法の申請手続き等が取得されているものが対象となります。この手続き等がされていないと条文の内容に合致しないと考えております。

また細則第21第1項(二)では「継続して自動車の保管場所の用に供されており、かつ、土地等の使用に係る土地の借地人が引き続きこれらの用に供するために必要とすると認められる土地等」と記載されており、今回のケースはこの条文に該当すると考えております。この土地等には車庫も含まれると解釈しております。

【当方】

細則第21第1項(二)の「土地等」に建物は入らない。細則第21第1項(二)の「土地等」の「等」は、フェンス・アスファルト舗装等の施設を指します。

建物を居住用の建屋(住居)のみと誤解をしているのではないか。細則第21第1項(一)は、「居住用の建物」とは限定していない、むしろ「等」となっている。

資材置場もたんなる置き場であれば細則第21第1項(二)に該当するが、資材を建屋に置く場合(倉庫)は、れっきとした建物であり細則第21第1項(一)に該当する。自動車も同様(何度も言いますが、本件が建物であることは市の方でもすでに定義されています)。

なぜ、場・場所(単なる土地)と建物(建物用土地)で差をつけているか。それはたんなる土地と建物用の土地では、その重大性、確保の難易に差があるからである。

条文は下記のとおりです。正確に読んでください。

「継続して資材置場〜自動車の保管場所〜その他の作業場等の用に供されており、かつ、その用に応ずるためのフェンス、アスファルト舗装が整備されている土地等の取得

又は土地等の使用に係る土地の所有者又は借地人が引き続きこれらの用に自ら供するために必要とすると認められる土地等」

土地を取得するか自ら供するかは別にして、あくまで場・場所のために新たに確保する土地を指します。建物のために確保する土地ではありません。

【もりかけ市】

残地補償について回答いたします。

前回も申しあげましたが細則第21第1項(一)は、残地補償を算定する時点で、新たに建築物新築等に係る建築基準法等の手続きがされているものが対象となります。

残地補償を算定する時点で新たに建築基準法等の手続きがあれば、細則第21第1項(一)に該当することになりますが、

今回につきましては建築基準法等の手続きをされていないようですので、上記細則第21第1項(一)に該当しないと考えております。

また細則第21第1項(二)には「継続して自動車の保管場所の用に供されており、かつ、その用に応ずる～土地等の取得又は土地等の使用に係る土地の所有者又は借地人が引き続きこれらの用に供するために必要とすると認められる土地等」と記載されております。

今回のケースを条文に当てはめますと、「継続して自動車の保管場所の用に供されており、かつ、土地等の使用に係る土地の借地人(駐車場として借りている方)が引き続き自動車の保管場所の用として自分の車を停めるために必要と認められる土地等」と読めます。したがいまして細則第21第1項(一)ではなく、細則第21第1項(二)に該当すると考えております。

【当方】

細則第21第1項(二)の対象は取得するか自ら供する土地等かは別にして、対象はあくまで「土地等」のための土地等であって「建物等」のための土地等ではない(なぜ「土地等」のための土地等と「建物等」のための土地等を区分しているかはすでに述べているとおり、たんなる場のための土地と建物用の土地では、その重大性と確保の難易に差があるからである)。

「建物等」のための土地等は、細則第21第1項(一)に該当する。細則第21第1項(一)の建築基準法等の手続きは適用の条件であって、該当するかどうかとは別である。

適用の条件である建築基準法等の手続きはこれからです。しかし、それをもって細則第21第1項(二)を適用しないとするのは杓子定規な措置である。補償が不確定の下で、建築基準法等の手続きを取るところまで行くはずがない。多くは、そこまで進んでいないのが通常の実態で、だからこそ但し書きがあり「実態等を勘案し、適正に補正するものとする」とある。

【もりかけ市】

わかりました。それでは実態等を勘案したうえで、標準地と残地の格差率5%ではなく9.7%で算定する方向で進めていきたいと考えます。

【当方】

この考えはすでに理解がついていることである。後戻りしないでいただきたい。以前は格差率の問題であり、今回は、該当条項(早急性)の問題である。

今回の指摘に答えてください。「実態等を勘案」が何を指すか不明だが、今回の実態等を勘案は、細則第21第1項に関するものである。

2.緊急性（駐車場の解釈？）

市は「該当条項」に関して、こじつけとしか思われない新たな理屈、全く関係ない「自動車の保管場所の確保等に関する法律」を持ち出してきた。

【もりかけ市】

残地補償の件につきまして回答いたします。

細則第21第1項(一)には「次の各号に掲げる手続等がとられていることにより～明らかであると認められる土地等の取得…」と記載されております。残地補償をする時点で、建築基準法等の手続きをとられておれば、将来建築物等の敷地の用に供されるものというのは明らかであるので、この条文に該当することになります。また細則第21第1項(二)で記載されている「自動車の保管場所」についてですが、自動車の保管場所の確保等に関する法律第2条三号にて「保管場所車庫、空地その他自動車を通常保管するための場所をいう」と定義付けされております。

この条文を当てはめて細則第21第1項(二)を読みますと、継続して自動車の保管場所(車庫)の用に供されており、かつ現在車庫として借りられていられる方が引き続き自動車の保管場所(車庫)として必要と認められる土地等となります。

以上のことから細則第21第1項(一)は残地補償をする時点において、建築基準法等の手続きをとられていることが条件となっているところ、今回のケースはその手続き等をとられていないことから条文に合致しないと考えております。したがいまして細則第21第1項(一)に該当ではなく、上記のとおり条文に合致している細則第21第1項(二)に該当すると考えております。

【当方】

細則第21第1項の条文上、そのようには読めません。また法律の趣旨、目的により定義は一律でありません。法律が異なれば定義も異なる。上記の定義は自動車の保管場所の確保等に関する法律の定義であり、その定義を援用するとは規定されてはいない。以前の段差問題の時のでっち上げ表(高低段差補正表、スロープ補償率表)と同様の類である。

建築基準法等の手続き等は「近い将来建築等の用に供されることが明らかであると認められること」を示す例示にすぎない(だから「等」となっている)。建築基準法の手続きがとられていなくても、建築等の用に供されることが明らかであれば適用となる。

該当と適用条件を混同しています。細則第21第1項(二)の対象は、「取得する」か「自ら供するために必要とすると認められる土地等」かは別にして、対象はあくまで「土地等」のための土地等であって、「建物等」のための土地等ではありません。したがって第1項(二)には該当しません。

【もりかけ市】

残地補償の件につきまして回答いたします。

前回もお話しましたが、細則第21第1項(一)には「次の各号に掲げる手続等がとられていることにより～」と記載されております。この条文によりますと、残地補償をする時点で建築基準法等の手続きをとられているか否かが判断基準となっております。これにしたがいますと、建築基準法等の手続きがされていればこの条文の適用、手続きがとられていなければこの条文を適用しないと考えております。

【当方】

「実態等を勘案し、適正に補正する」という但し書きがありながらも、実態を考慮せず相変わらず土地提供者への配慮が全く感じられない考えである。建築基準法の手続は、補償が不確定の下ではできかねます。したがって本題は未解決となります。

【もりかけ市】

国土交通省損失補償取扱要領の中で定められている自動車保管場所補償実施要領第2条にて『「自動車の保管場所」とは、自動車の保管場所の確保等に関する法律(昭和37年6月1日法律第145号)第2条第3号に規定する保管場所(車庫、空地その他自動車を通常保管するための場所(以下「保管場所」という)をいう』と損失補償に関連する定義付が明確にされております。したがいまして細則第21第1項(二)が適用されると考えております。

【当方】

当方は示された法律、規準内容しか承知していません。その内容から判断しています。あらためて本題に関係する全ての法令、規準(法令・規準名、該当条文内容)を示してください。

今回示されている実施要領からいえることは、次のとおり。

・国土交通省のものである(地方自治体とは異なる)。
・取扱要領、しかもその実施要領である(法律、細則の方が上位規範)。
・内容は個人または事業主が自己のため、または自己の事業のために駐車、使用しているものであり(いわゆる車庫)、当方のように駐車そのものを事業としているものとは異なる。当方の建物は事業主でいえば事業場そのものである。

【もりかけ市】

本題に関係する全ての法令・規準は膨大になります。

【当方】

法令・基準名、該当条文内容が膨大になるとは思われない。名前だけ、該当する条文のみがなぜ膨大になるのか？　膨大にならない範囲でけっこうであるので示してください。

【もりかけ市】

公共事業の補償につきましては「公共用地の取得に伴う損失補償基準」を基に算定いたします。第２条にて『この基準において「土地等」とは、土地、土地収用法(昭和２６年法律第２１９号)第５条に掲げる権利、同法第６条に掲げる立木、建物その他土地に定着する物件及び同法７条に掲げる土石砂れきをいう』と定義付けがされております。

次に残地補償の売却損率に関する項目は公共用地の取得に伴う損失補償基準細則第２１を基に判断しております。第２１(一)と(二)どちらにもいえることですが、この「土地等」という文言には上記のとおり「建物その他土地に定着する物件」も含まれております。また前回お示ししました国土交通省損失補償取扱要領及び自動車保管場所補償実施要領につきましては、国土交通省を対象として作られたものですが、地方公共団体(もりかけ市)においては、細部の取り決め等を行なっていないため、国土交通省が作成したものを準拠しております。

したがいまして上記記載のとおり「土地等」には建物等も含まれていることになり、『継続して自動車の保管場所の用に供されており、かつ、土地等の使用に係る土地の借地人が引き続きこれらの用に自ら供するために必要とすると認められる土地等』として公共用地の取得に伴う損失補償基準細則第２１(二)の条文が適用されると考えております。

【当方】

公共用地の取得に伴う損失補償基準第２条は、補償の対象を「土地等」として、その内容と範囲を定めたものにすぎない。以下、それぞれの内容(土地～立木・建物～・土石砂れき他)に応じてその取り扱いを定めている。

損失補償基準細則第２１は「土地(場所)」のための土地と「建物」のための土地を区分して、その扱いを規定している。この区分と扱いに公共用地の取得に伴う損失補償基準第２条がなんら影響与えるものではない。

損失補償基準細則第２１（二)は次のとおり。何度もいっていますが正確に読んでください。

「継続して資材置場、貯木場、自動車の保管場所、製品干場その他の作業場の用に供されており、かつ、その用に応ずるためのフェンス、アスファルト舗装等の施設が整備されている土地等の取得」

「又は土地等の使用に係る土地の所有者又は借地人が引き続きこれらの用に自ら供するために必要とすると認められる土地等の取得」

あえていえば、取得する土地、または自ら供する土地について「土地等」としているので、公共用地の取得に伴う損失補償基準第２条の内容である土地以外の立木、建物、他が、対象に入る点では関係するといえるかもしれない。

いずれにしても「建物のための土地」は損失補償基準細則第21（一）に該当し、（二）には該当しない。

第Ⅳ章　買収価格

1.基準価格（採取地点？）

延々と寄り道を続けるわけにもいかず、本題の土地買収価格交渉に入ることにした。市の算定は先に連絡あった次のとおりである。

【もりかけ市】

土地代㎡単価及びその算定根拠ついては、標準価格を求めそれから土地の個別要因を考慮して評価しています。

標準価格は100,000（円／㎡）です。

㎡単価＝標準価格×個別要因となります。

※個別要因＝P.21～22参照

この算定について不明点をたずねた。

【当方】

土地代に関して「標準価格を求め」とあるが、標準価格は、どこから求めているのでしょうか？

【もりかけ市】

近隣地区の４地点の取引事例から求めています。

(A)平成28年８月　¥102,000

(B)平成28年5月　¥103,000

(C)平成27年12月　¥92,600

(D)平成28年5月　¥98,800

の平均価格です。

【当方】

標準価格を設定する根拠の近隣地区の４地点の取引事例について、①地点　②面積(㎡数)　③地形　④方位　⑤駅距離を知らせてください。平成２７～２８年と古い取引事例だが、最近の取引事例はないのでしょうか？

【もりかけ市】

表のとおりです。

	A	B	C	D
①地点	塩立 町一丁目 地内	塩立 町二丁目 地内	水帆 町一丁目 地内	里美 町二丁目 地内
②面積 (㎡数)	221.50 ㎡	250.69 ㎡	147.00 ㎡	541.69 ㎡
③地形	ほぼ長方形	やや不整形	長方形	長方形
④方位	南東	北東	北東	南東
⑤駅距離	もりかけ駅 1.9Km	もりかけ駅 2.1Km	もりかけ駅 2.1Km	もりかけ駅 2.6Km

【当方】

①各地点の番地を知りたい。

②採取地点として当該地に隣接する武下地区の事例はないのでしょうか？

③事例のソースは何でしょうか？

【もりかけ市】

①および③の質問にお答えいたします。土地評価につきましては、専門的知識を有した不動産鑑定士の鑑定書をもとに価格決定しております。この事例地のソースとなるものは、国土交通省が行っている土地売買取引アンケートです(アンケートについては、第三者に名前の公表、場所の特定をしないという条件付)。このような条件があることから、私どもも各地点の地番までは把握しておりません。不動産鑑定士と国土交通省は売買情報閲覧の契約をしているため、正確な地番が見られるようです。

②の質問にお答いたします。

不動産鑑定士に確認したところ、武下地区の事例については少数ではありますが存在しております。不動産鑑定の際に行う事例地の選定につきましては、評価対象地と類似する場所を選択する必要があります。そのような選定方法の中、所有地と現在土地区画整理事業で市街化された場所(武下地区)

とでは、土地状況が類似しないため、武下地区の事例地は採用しておりません。

【当方】

土地評価は採取した４地点の取引価格を平均したものとのことですが、「不動産鑑定士の鑑定書をもとに価格決定」とはどういうことでしょうか？　不動産鑑定士のことは初めて聞きました。

土地評価は駅距離が決定的要素(地方ではウエイトに少し差があるかもしれないが)。その点で駅から遠く、当該地からも離れている水帆町等を類似する場所といえるのか。当該地に近接する武下地区を事例地に加えないのは、均衡を欠く選定ではではないでしょうか？

評価対象地が武下地区に隣接しているにもかかわらず、類似しないとして武下地区を選定から外すほどのものなのか？仮に大きな違いがあるのであれば、むしろそれは隣接する当該地に反映されるべきではないでしょうか。隣接地が良好環境の場合であれ、劣悪環境の場合であれ同様であると考えます。隣接地が例えば公園であるか、墓地であるかは、当該地の評価に反映されるはずである。

【もりかけ市】

土地価格につきましては専門的知識を有した不動産鑑定士に依頼し、その鑑定書を基に価格決定しております。その鑑定書では取引事例比較法※に基づき４地点(同一需給圏内の類似地域に存する更地の事例で、地域要因格差も比較可能な範囲内)の取引事例地の中庸値を査定(１００,０００円／㎡)されています。路線価等の金額(約８７，０００円／㎡)を上回っておりますが、鑑定書において取引事例地はいずれも等しく規範性を有するものと判断されたため、中庸値(１００,０００円／㎡)を採用することは妥当と判断し価格決定を行っております。

【当方】

採取の４地点が適切であるかどうかの当方の問題意識に、専門的知識を有しない素人にもわかるように具体的に答えていただきたい。

※取引事例比較法：多数の取引事例を収集して適切な事例の選択を行い、これらに係る取引価格に必要に応じて事情補正及び時点修正を行い、かつ、地域要因の比較及び個別的要因の比較を行って求められた価格を比較考量し、これによって対象不動産の試算価格を求める手法。

【もりかけ市】

土地評価につきましては、さまざまな要因「街路条件（幅員や舗装等の状況等）、交通条件（最寄駅、商業施設への接近性等）、環境条件（日照等気候の状況、各地の面積等）等」をもとに評価していきます。不動産鑑定士に確認したところ、駅距離はさまざまな要因の1つ（交通条件）であり、とくに地方におきましては駅距離を決定的要因と判断されておりません。

また事例地の選定基準につきましては、評価対象地と隣接しているだけではなく、評価対象地と事例地が地域性・画地条件等において類似していること、かつ比較可能な範囲での取引事例地であることを条件（接道条件・方位・間口・奥行等が類似している）とした中で４地点を抽出しております。

【当方】

いわれている要因・条件について、採取の4地点の具体的内容、および武下地区の取引事例の具体的内容を示していただきたい。

【もりかけ市】

採取の４地点の具体的内容及び武下地区の具体的内容につきましては以前申しあげたとおり、ピンポイント地点を把握しておりませんので申し訳ありませんがお答えしかねます。

今回、市が把握できている事例地等の大まかな位置図を送付いたします。

（資料_位置図）

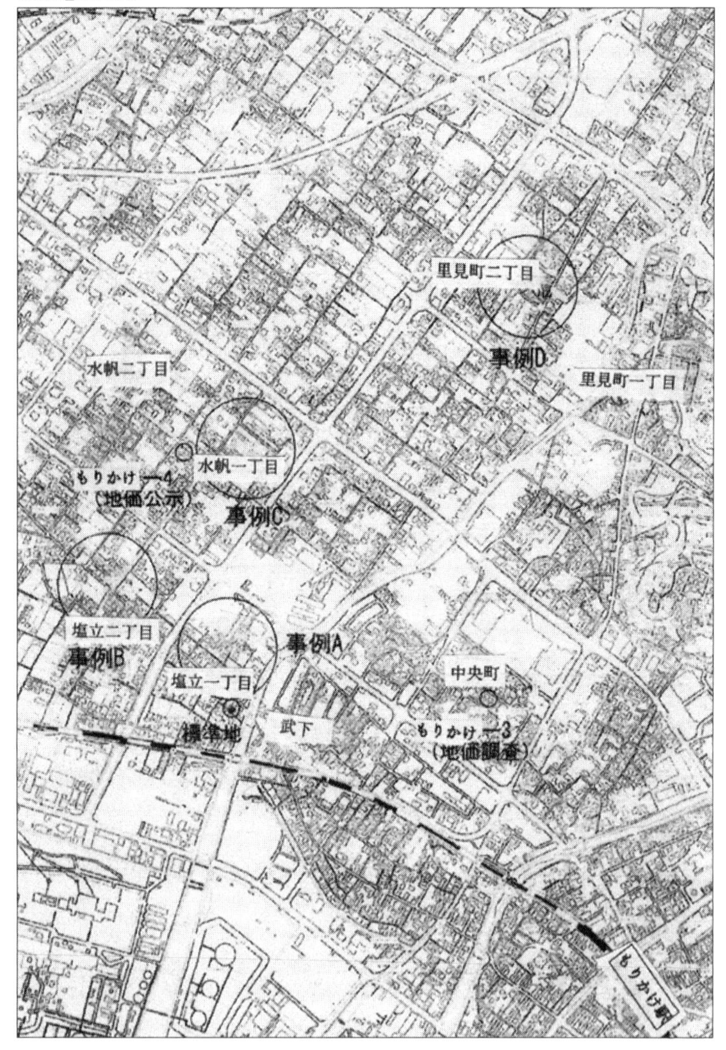

【当方】

具体的内容を把握しないでどうして適否が判断できるのでしょうか？　当局は形式（４地点採取）が整っていればよいとのことかもしれませんが、当方は具体的内容がわからなければ妥当性を判断できません。

【もりかけ市】

土地評価につきまして、今までの回答の中で路線価等と比較し土地価格を決めていると申しあげておりますが、その路線価等には地価公示・地価調査

（http：//www.land.mlit.go.jp/landPrice/AriaServlet?MOD=2&TYP=0）

も含まれています。地価公示等はもりかけ市で30点以上も存在し、土地の価格決定には必要不可欠な数値とされています。

今回、標準地の地域と類似している地価公示地点は国土交通省地価公示「もりかけ－４」です。標準地価格を事例地４地点の中庸値１００,０００円としたときに、路線価及び地価公示地点９５,４００円「もりかけ－４」と比較すると、若干高い価格ではありますが、この価格差は許容範囲内と判断されております。また地価調査内に都道府県地価調査「もりかけ－３」（中央町）という地点があります。この土地につきましては開発行為で市街地化された区画整然と立ち並ぶ住宅地であり、もりかけの住宅地では最高価格の１４０,０００円とされています。

標準地の地域とこの中央町地域は住宅の立ち並び状況の違い等で類似する地域と認定されないため、標準地価格を決定させるための取引事例地として選ぶことは原則行いません。

もし中央町地域の取引事例地しかなく、どうしても中央町地域を選定しなければならないといったような特殊な事情のときは、取引事例地価格から地域格差分(中央町地域と標準地の地域の差)を減額したもの、さらには標準地と事例地を個別比較した結果の額が採用されることになります。区画整理事業で市街地化されている土地(武下地区)も同様のことがいえるため、取引事例地には武下地区が含まれておりません。

【当方】

①事例採取は当該地域内が第一優先。②当該地域内に取引事例がない、もしくは４地点に満たない場合は隣接地から採取。③隣接地でも不足する場合、他地区から採取(その場合は地域格差補正が必要になる場合もあるかもしれない)となると考えます。

【もりかけ市】

地価公示法第１条では都市およびその周辺の地域等において標準地を選定し、その正常な価格を公示することにより一般の土地の取引価格に対して指標を与え、および公共の利益となる事業の用に供する土地に対する適正な補償金の額の算定等に資し、もつて適正な地価の形成に寄与することを目的とすると規定されております。この法律にもとづき市では標準地に類似する公示価格※の金額を重要な指標であると考えております。

標準地と類似公示価格地「もりかけ４」９５，４００円と比較すると、道路の系統連続性や幅員(街路条件)といったような個別格差があります(類似公示価格地よりも標準地の方が優れている)。このような比較を行った結果、標準地の価格は９７,０００円前後が妥当な金額と市は考えております。

事例地の詳細については個人情報保護の観点から私どもは把握しておりませんが、鑑定書での価格(１００,０００円)と大きな差異がないため、この鑑定書での結果は妥当であると判断しております。

また事例地の採取につきまして、①近隣地域(標準地を含む)内で取引があれば、そこを優先的に選定します。②近隣地

※公示価格：地価公示法に基づいて、国土交通省の土地鑑定委員会が毎年公示する標準地の価格のこと。

域内に取引事例地がなければ、近接する類似地域から選定するようになります(標準地がある地域となるべく類似する地域から選定することになりますので、中央町地区や区画整理地区のように近隣地域と大きな地域格差がある場合は除かれます)。③近接する類似地域がない場合は、その他地域(例：近隣地域は住宅地域であるため、本来であれば住宅地域を選定するようになりますが、近接する類似地域の取引事例地がない場合には商業地域を選択する)の選定という流れになります。

【当方】

国会の政府答弁のように個人情報保護を隠れ蓑にしているとは思わないが、取引事例の具体的内容を示す考えがないようであるので、当方で調べられる範囲で(現地を見ることができれば、概略は把握できると思うが、すぐにはできないので限界はある)把握して別途、たずねます。

類似とはどういうことをいうのでしょうか？　住宅地域と商業地域は、類似といえないだろう。では区画整理地区と整理地外は、類似していないといえるか？　区画整理地区と整理地外を類似していないというなら、駅距離に差がある場合も類似とはいえないのではないか。説明あった「駅距離は鑑定の一条件にすぎない」ということは、区画整理も一条件にすぎないのではないか。類似するかどうかの判断に、区画整理が駅距離を超えた重要な条件というのであれば、その根拠を示していただきたい。

【もりかけ市】

近隣地域と区画整理地区を比較した場合、住宅の立ち並びや街路状況といったもので大きな地域格差があります。また特殊な宅地の評価として区画整理地区内の宅地評価があげられております。
(国税庁ホームページアドレス　国税庁事務提要
https://www.nta.go.jp/shiraberu/zeiho-kaishaku/jimu-unei/tyousyu/140627/03/02.htm)

こういった特殊な要因があることから、区画整理地区と近隣地域とを比較することは容易でないため武下地区の事例地を採取せず、より比較の行いやすい４取引事例地を採取した結果となっております。なお駅距離につきましては前回に回答させていただいたとおりです。

【当方】

区画整理地を採取しない理由は、「比較することが容易でないため」ということのようですが、国税庁事務提要に区画整理地の評価基準があるのであればむしろ比較は容易なのでないか？　駅距離のほうが評価規準がないようなので比較が難しいのではないか？　区画整理地と駅距離の考え方については説明を受けたように思いません。

「特殊な宅地の評価として区画整理地区内の宅地評価があげられております」とのことで、国税庁ホームページをさっそく閲覧いたしましたが、区画整理地が特殊な宅地といっているのではない。区画整理に伴って仮換地※がある場合を、特殊なケースとしてその処理方法を示しているにすぎない。区画整理地が特殊な土地であるという根拠にはならない。

今回、区画整理地を採取しない新たな理由として、「比較が容易でない」からということをあげられたが、区画整理地は容易でなく駅距離は容易なのか？　いずれも難しいと思います。一番易しいのは駅距離、区画整理地にかかわらず、当該地の近くから採取することではないでしょうか。

※仮換地：土地区画整理事業において、換地処分の前に、地権者用に割り当てられる仮の換地。整理事業開始以前の宅地に換えて仮に使用または収益することのできる土地(仮換地)を指定するもの。

【もりかけ市】

道路や公園などの公共施設の整備改善と宅地の利用増進を図るため土地の区画形質の変更を行い、安全で快適な市街地とするための基盤整備を一体的に行う区画整理で市街地化された宅地と近隣地域では住宅の立ち並び状況、街路状況等大きな地域格差があるため、比較は容易でないと判断されております。

また駅距離につきましては、土地価格比準表によりますと道路に沿った最短距離・バス路線の有無・バス運行回数等を総合的に考量して判定するとされているため、たんに駅からの距離だけで判断されてはおりません。

【当方】

隣接の武下地区は「市街地化された」とは未だいえないのではないか？　これからではないか。住宅も立ち並んではいない、道路や公園などの公共施設の整備これからではないか。

「比較は容易でないと判断」は誰が判断？
「土地価格比準表」とは何？

何か知りませんがいっていることは距離が基本、ただそれだけでなく、それにバス路線の有無・バス運行回数等を加味して評価するということだと想像します。たずねているのは、市街地化された宅地と駅距離を個別にどうこういっているのではなく、両者の関係をたずねています。
説明にあった「駅距離は鑑定の一条件にすぎない」ということは、区画整理も一条件にすぎないのではないか。区画整理が駅距離を超えた重要な条件というのであれば、その根拠を示していただきたい。

【もりかけ市】

土地評価につきましては以前申しあげたとおり、さまざまな要因(街路条件・交通条件・環境条件等)をそれぞれの条件ごとに比較を行い評価していきます。その条件にあてはめますと、市街地化された宅地というのは環境条件で、駅距離は交通条件、というように別々の要件となり比較もそれぞれで行うようになります。

【当方】

それぞれ別々の一条件。ではなぜ区画整理地を採取地からはずすのか?
答えは示されていない。当方は区画整理より駅距離の方が重要条件だと思っていますが、それは置いてそれぞれ並立の一条件だとしましょう。今回の説明も区画整理も駅距離も一条件であるといっているにすぎないと受けとれます。だとすれば区画整理地を採取地からはずす根拠はないのではないか。

【もりかけ市】

近く(近隣)から採取することが一番易しいのではないかとのことですが、近いからだけで事例地の採取を行うのではなく、比較の行いやすい取引事例地を採取することになります。この比較がしやすいかどうかは取引事例地の具体的内容がわからなければ判断できません。さまざまな取引事例地から、より比較が行いやすい事例地を採取することは具体的内容がわかる不動産鑑定士にしかできないことだと考えております。

【当方】

不動産鑑定士にしかできないことだから、内容がブラックボックスでよいということにはならない。不動産鑑定士にしかできないことであるから、むしろ説明義務を伴う(会計士、税理士、弁護士しかり。どんな判断をしたか、規準・法令等にもとづいて説明する義務がある)。

なぜ近くの地(区画整理地)をはずし、遠く離れた地(駅距離のある地)を採取したのか、選んだ根拠を知らせてください。個人情報保護法を盾に逃げられるが、法に触れない範囲で十分説明がつくはずです。

【もりかけ市】

近くの地(区画整理地)をはずし遠く離れた地(駅距離のある地)を採取した理由としては、前回まで説明したとおりです。補足説明をさせていただきますと、土地評価事務処理要領の第11条には、「取引事例比較法は、次の手順により行うものとする。(1)近隣地域(評価対象地を含む同一状況地域をいう)、および類似地域(近隣地域を含む同一需給圏内から選定した当該近隣地域と類似した同一状況地域をいう)から多数の取引事例を収集する」と記載されております。

その中で類似したとは①街路の状況、②公共施設等の接近の状況等から判断されることになり、このうち①街路の状況とは道路交通上の利用の便利さの程度で判断されます。

そこで送付した区画整理地内の航空写真を見ていただければおわかりいただけると思いますが、当該地区と区画整理地では住宅の立ち並びや街路状況等相違しているため、地域間の類似性は低いと判断されています。類似性の低い地域から事例地を採取することは、上記要領第11条の内容に合致しないため採取されておりません。

区画整理地と整理地外を類似していないというなら、駅距離に差がある場合も類似とはいえないのではいかということですが、駅距離につきましては上記の②公共施設等の接近の状況に該当いたします。この公共施設等の接近の状況は、交通施設の距離(駅距離、バス停までの距離等)のほか学校・保育所・病院等公共施設との接近状況を総合的に判断されることになります。当該地区と取引事例地では、公共施設等の接近の状況について、類似性は高いと判断されております。

【当方】

疑問の解消になっていません。「土地評価事務処理要領」とは何？

区画整理地(武下地区)との比較で街路の状況(道路交通上の利用の便利さの程度)は、概略同様だと思います。「類似性は低い」とまでいえるでしょうか？

公共施設等の中では、学校・保育所・病院等よりも駅が最重要要素であり、土地評価の決定的要素と考えます。その点で採取の取引事例地と類似性は高いとはいえないと考えます。学校・保育所・病院等も差があります。

しかし不採取の隣接の武下地区(区画整理地)とは、街路の状況が類似していない、採取の取引事例地(駅から遠く離れた地域；水帆町一丁目)は公共施設等の接近の状況等が類似していると、どうしても主張されるのなら納得できませんが、時間をかけるのは望むところではありませんので採取地域の件は終わりにしましょう。

2.不動産鑑定(補正～25%?)

もっと追及したいところであったが、採取地域や地点よりさらに重要な当該地域の採取事例そのものについての疑問に移った。国土交通省・土地取引情報にある取引事例を調べたところ当該地の中に次のような取引事例が掲載されていた。

地区	面積	㎡単価	取引時期
①塩立町一丁目	220㎡	¥130,000	H28年8月
②塩立町一丁目	189㎡	¥144,000	H28年6月
③塩立町一丁目	171㎡	¥148,000	H28年6月

当該地区の事例なのになぜこれらの事例が採取されなかったのか。とくに①は土地内容が採取事例Aと全く同じであるが、単価のみ相違があるものである。

①は㎡単価¥130,000に対して、採取事例Aは102,000円となっている。この点についてたずねた。

【当方】

最も参考とすべき当該地区(塩立町一丁目)の次の取引事例はなぜ採取されなかったのでしょうか?

(国土交通省　土地取引情報にある取引事例)

住宅地　面積220㎡　ほぼ長方形、方位　南東、前面道路私道5m、㎡単価¥130,000、平成28年8月取引

【もりかけ市】

当該取引事例地(㎡単価130,000円)は採取されておりますが(地番までは把握できないため、全く同一かどうかの判断はできません)、標準地と取引事例地とを比べた際、取引事例地のほうが標準地より環境条件等で優れているとの理由により、マイナスに補正されて102,000円となっております。

また他の取引事例地の1地点については、88,000円前後の事例地を採取しております。これについては上記取引事例地と反対で、標準地と比較した際にプラス要因があるため、プラスに補正されております。このように取引事例地の売買価格をそのまま使用するわけではなく、標準地と取引事例地とを地域比較及び個別具体的に比較をし、価格は決定されます。

【当方】

採取されているとすれば採取事例Aだと推察しますが、採取事例Aは塩立町一丁目で標準地と同一地域であり、地域補正も不要なのになぜ2割以上も(㎡単価130,000円→102,000円)補正されるのでしょうか?

以前の説明で採取事例は、標準地と類似地域の取引事例の内から類似の例を採っているはずであり、大幅な補正があるはずがない。補正の内容を知らせてください。仮に大幅な補正があるとすれば、先に説明あった採取ルールからはずれ、事例採取が適切であるかどうかが疑われます。

【もりかけ市】

不動産鑑定士に確認したところ、対象取引事例地は小規模宅地開発により分譲された土地とのことです。宅地分譲された土地については、取引価格が既存宅地に比べ高くなる要素(宅地造成に合わせた進入道路の新設、上下水道の整備などのインフラ整備費用や宅建業者の経費など)を含んでいる場合が大半です。今回については標準地と取引事例地との間に価格差が生じていると判断されたと考えられ、マイナスに補正された結果となっております。

【当方】

定性的、どんぶり勘定的説明でなく、具体的に補正の内容と根拠を知らせてください。

【もりかけ市】

事例地の詳細については、以前からお話しさせていただいているとおり、個人情報保護の観点から私どもは把握しておりません。したがって具体的な補正の内容についても把握していないためお答えできません。

ただ一般的に考えて宅地分譲された土地については、宅地造成に合わせた進入道路の新設等により既存宅地に比べ土地は高く評価されております。塩立町周辺で最近新規に宅地分譲された土地とその周辺の路線価とを比較した際には概ね２５％〜４０％相違しております。そういった現実と不動産鑑定評価を比較した際、この不動産鑑定の内容は妥当であると判断しております。

【当方】

当方の疑問点については、個人情報保護に抵触することなく(事例地の詳細を把握しなくても)説明できるはずです。補正が妥当であるか(土地鑑定が妥当であるか)、担当部署として鑑定内容を把握すべきではないか、鑑定内容をチエックしないということは、職務怠慢のそしりをまぬがれない。具体的な補正の内容を把握して知らせてください。

大雑把な説明では納得できません。そもそも取引事例法を採用しているはずである。当該地が宅地造成地でなくても、周囲が２５％〜４０％も高い取引がされているような状況であれば、とうぜん当該地の取引価格にも反映される。

当該疑問点は当方以外(他地権者)にも影響することかもしれないが、問題とならないように協力したいと考えていますので誠実に答えてください。仮にも個人情報保護などという根拠のない隠れ蓑は使わないようにしていただきたい。

【もりかけ市】

具体的な補正の内容についてですが、塩立町二丁目で新規宅地分譲された土地(㎡単価約112,000円)に対し、その対象地に属する固定資産税路線価※(㎡単価約76,000円)という事例地が実際に存在しております。

この価格差は約32%です。今回のケースにつきましては、街路条件・行政的条件・環境条件での格差がありますが、この中で一番の要因は環境条件(各画地の配置の状態、下水道の整備状況等)であり格差率は約25%です。塩立町二丁目の事例地と今回のケースを比較した際、この鑑定結果は妥当であると判断しております。

【当方】

答えになっていない。固定資産税路線価との価格差がどうして妥当性の根拠になるのか？　少なくとも今回連絡のポイントである次の点に応えてください。

※固定資産税路線価：路線(不特定多数が通行する道路)に面する宅地の、1㎡当たりの評価額。固定資産税や不動産取得税等の課税価格を計算する基準となるもの。公示地価の7割を目途とする価格であり市町村長によって定めらる。

鑑定の算定根拠となっている採取事例の補正内容（とくに同一地で同内容土地の採取事例Ａ￥130,000→￥102,000　補正マイナス２５％）。

【もりかけ市】

標準地と事例地を比較した際、環境条件（日照・風向等・地勢・地盤等・居住者の近隣関係等の社会的環境の良否・画地の標準的面積・画地の整然性・土地の利用度・上下水道・ガス等の供給処理施設の状態等）で100/125、街路条件の幅員で100/101事例地の方が優れているという結果です。反対に行政的条件（公法上の規制の程度）で100/101、標準地の方が優れており、条件毎の差は100/125事例地の方が優れているという結果です。また上記条件とは別に標準化補正（方位、間口奥行関係）で100/101ほど事例地の方が優れており、結果として100/125×100/101の補正率となっております。

【当方】

環境条件（100/125）は大きな数値差です。示されている項目について、どんぶり勘定でなく、個別具体的（内容および数値）に標準地と事例地を比較したものを知らせてください。説明をわかりやすく表にしました。説明あった数値は記入しました。ブランク部分を知らせてください。

	【標準地】	【事例地】
(1)環境条件(100/125)	100	125
①日照、風向等	(内容 数値)	(内容 数値)
②地勢、地盤等	( )	( )
③居住者の近隣関係等の社会的環境の良否	( )	( )
④画地の標準的面積	( )	( )
⑤画地の整然性	( )	( )
⑥土地の利用度	( )	( )
⑦上下水道・ガス等の供給処理施設の状態	( )	( )
(2)街路条件(幅員)(100/101)	(m 100)	(m 101)
(3)画地条件(100/101)	(100)	(101)
①方位	( )	( )
②間口奥行	( )	( )
(4)行政的条件(101/100)	(101)	(100)

【もりかけ市】

鑑定書に記載されておりますのは、環境条件100/125といったような条件毎についての格差率のみです。したがって、例えば日照・風向等の格差については把握しておりません。

また前回の補足説明をさせていただきますと、標準化補正の内訳につきましては、方位は100/104事例地の方が優れており、間口奥行関係は100/103標準地の方が優れております。したがいまして100/101ほど事例地が優れているという結果です。なお行政的条件の内容につきましては文化財保護法に関するものです。

【当方】

把握すべきではないか？　鑑定士にたずねるべきである。100 /125が妥当かどうか内容を把握せずして、どうして鑑定が妥当と判断できるのか？　同一地内(塩立一丁目内)で100/125という大幅な差が、どうして出てくるのか当方には理解できません。

「方位」「間口奥行」「街路条件」の内容も知らせてください。

行政的条件の内容は、文化財保護法に関するものとのことだが、同一地内(塩立町一丁目内)で差があるのか？

【もりかけ市】

鑑定評価の額が適正かどうかを市は判断しております。したがいまして次のとおり市は鑑定評価の額は適正であると判断しているため、鑑定評価の内容全てを把握するべきだとは考えておりません。

地価公示法第9条では、公共事業の用に供する土地の取得価格の算定にあたっては、公示価格を規準としなければならないと規定されております。この規定に基づき市が算定した結果、標準地の価格は97,000円前後が妥当な金額と考えております。

この市が考える標準地の価格(97,000円前後)と鑑定評価(100,000円)との間に明らかな開差が認められる場合には、その理由を鑑定評価書の記載内容、または必要に応じて担当した不動産鑑定士等から説明を受けて把握するむねの記載がございます。今回、市が算定する価格(97,000円前後)と不動産鑑定評価(100,000円)との間に明らかに開差が認められるものではなく、鑑定評価の額は適正なものであると判断しております。

また文化財保護法につきましては、塩立町一丁目の中でも法律の網にかかっている部分とそうでない部分がございます。

【当方】

市の判断が適正とするのは独善的である。市の「鑑定評価の額は適正である」との判断が適正であるかどうかを問題としている。市は鑑定評価の額は適正であると判断しているかもしれないが、当方には適正であるどうか判断がつきません。それを解決する方法は、不動産鑑定士にたずねることである。当事者が説明を求めているにもかかわらず、市の判断が全てとして説明をしないのはなぜでしょうか。

市が算定した価格と開差が認められないから不動産鑑定評価は適正とするのは本末転倒である。市が算定する価格が適正かどうかを判断するものが鑑定評価である。その判断の基になる鑑定評価が適正かどうか疑問があるのでたずねている。不動産鑑定評価如何により、市の算定と「明らかに開差が認められる」こともあるかもしれないではないか。

塩立町一丁目で法律(文化財保護法)の網にかかっている部分とそうでない部分を具体的に地図上で示してください。

これまでの経過から、全ての問題点について性善説でなく性悪説に基づいて対応させていただきます。

【もりかけ市】

公共用地の土地評価につきましては、公示価格等を規準として官公庁が算定した価格を採用するのが原則です。しかしそれでは適正な額かどうかが不明なため、不動産鑑定士に鑑定依頼を行います。不動産鑑定も公示価格等を規準として価格決定しております。その鑑定結果と官公庁が算定した価格に明らかな開差が認められる場合に、開差の理由を必要に応じて担当した不動産鑑定士から説明を受けて把握する流れとなります。

今回については明らかな開差が認められないので本来であれば市が算定した価格を採用することになります。しかし市が算定した価格より専門的知識を有した不動産鑑定士が鑑定した価格のほうが、信憑性が高いというのは明らかであるので、市が算定した価格ではなく鑑定評価の額を採用しております。また具体的な内容につきましては、取引事例地の詳細な場所を市では把握できないため、例えば日照・風向等についてどれだけ格差があるのか現地で確認することができず、妥当性の判断をすることはできません。したがいまして、不動産鑑定士から具体的内容についての説明を受けることは考えておりません。

塩立町一丁目で法律(文化財保護法)の網にかかっている部分とそうでない部分に関しましては、もりかけ市遺跡地図を参照していただけたらと思います。「もりかけ市遺跡地図」とインターネット検索すると閲覧できます。

【当方】

専門的知識を有した不動産鑑定士に個別項目条件毎に説明を受ければ概略、妥当性の判断をすることはできるはずである。

もりかけ市遺跡地図を見ましたが、本件で差があるようには見えません。しかし同じ地区でも差があることは理解できました。大きな問題ではないので項目(４)行政的条件に関しては終了しましょう。

【もりかけ市】

市では鑑定評価の額が公共事業の土地評価の規準となる公示価格等と比較して妥当であるか否かを判断しており、個別具体的内容の妥当性までの判断はしておりません。鑑定評価の額が公示価格等をもとに算出した額と明らかに相違している場合には、個別具体的な内容の把握は必要であると考えますが、今回については明らかに相違していないため、個別具体的な内容の把握までは必要ないと考えております。

また比較する対象地につきましては、現地で確認しなければ環境条件の個別具体的内容の妥当性判断はできないと考えております。

【当方】

明らかに相違していないといえるかどうか、わからないので説明を求めています。項目毎に個別具体的内容の説明があれば概略、妥当性を判断することはできるはずである。

【もりかけ市】

以前から申しあげておりますとおり、私どもは取引事例地の詳細な場所を把握することができないため、現地での確認もできません。とくに日照・風向・景観等の環境条件については、現地を確認しなければ個別具体的内容の妥当性を判断することはできないと考えております。

【当方】

これだけ言っても説明を拒否されるのなら当方で現地を確認し判断しますので、先に示した表で鑑定の数値、内容を示してください。※P.84の表

【もりかけ市】

不動産鑑定士に鑑定の内容を確認したところ、標準地と比較した際に事例地の方が街区および画地が整然とし、眺望・景観等が優れ、建築の施工の質が高い建物が並び、良好な近隣環境を形成する等居住環境の良好であることを総合的に判断し、また地域の水準およびもりかけ市全体の価格バランスを踏まえたうえで価格決定しているとのことです。

また鑑定書に記載されておりますのは、環境条件100/125といったような条件毎の格差率のみです。したがいまして今まで示した鑑定の数値以上のものをお示しすることはできま

せん。

【当方】

不動産鑑定士のどんぶり勘定的説明で、当局は100/125等が納得できるのですか。当局は不動産鑑定士の言っていること、書いてあることを右左に伝えるメッセンジャーボーイではなく、当事者として(当方の立場に立って厳しくとはいわないが)客観的に見て妥当と判断できるレベルまで事実を追求すべきではないか。

今回とは逆のプラス格差の場合でも同様である。市の施策策定や予算作成もどんぶり勘定でやっているのですか。そのようなことはないはずである。筋違いの個人情報を理由に数値内容を示せないとしたり、何か不都合があって事実を隠そうとしているように見られてもしかたないところもあります。内容にますます不信感を持ちます。

【もりかけ市】

鑑定の数値等について回答いたします。鑑定の数値につきまして、以前からお話しさせていただいておりますが、塩立町周辺で最近新規に宅地分譲された土地とその周辺の路線価とを比較した際には、おおむね25%～40%の価格差が生じております。こういった現状を踏まえたうえで、市では今回の標準地と事例地の100/125の価格差は妥当であると判断しております。

また個別具体的な鑑定の数値につきまして、前回お話しさせていただいたとおり地域の水準およびもりかけ市全体のバランスをふまえたうえ、価格決定されているものであり個別具体的な鑑定の数値はありません。以上のことから、今まで示した鑑定の数値以上のものを示すことはできません。

【当方】

鑑定の100/125の価格差は妥当と判断する理由は、路線価とを比較して、取引事例はおおむね25%〜40%の価格差があるからということのようですが、周辺の取引価格比較と標準地と事例地の個別比較(環境条件　他)は別物である。混同しています。個別比較したうえで、最近の地価上昇をどのように考えるかということである。そもそも取引事例法からすれば、25%〜40%もの価格差は個別比較とは別に査定価格に反映されるべきと考えるが、今それを問うことはしていない。

個別比較をどんぶり勘定で算定しており、個別具体的な鑑定の数値が無いとのことであれば、当方は個別比較の数値(100/125他)が妥当あるかどうか判断できません。無いのであれば新たに算定して、数値が妥当であることを示してください。

【もりかけ市】

鑑定の環境条件につきましては、街区及び画地の整然性・眺望・景観の良好等を総合的に判断して100/125という格差率となっており、また公示価格を規準とし地域の水準およびもりかけ市全体のバランスを踏まえたうえで、専門的知識を有した不動産鑑定士により価格決定されております。とくに公共事業につきましては、公示価格を規準として評価するよう地価公示法等で定められております。したがいまして市では取引事例地の一つ一つの妥当性ではなく、公示価格を規準に算定した市の価格と不動産鑑定士が鑑定した価格が妥当であるかを判断しております。また鑑定の数値がないものをお示しすることはできません。

【当方】

今回の算定の基礎となっている取引事例のうちの代表的事例(同一地区内の同内容事例)と、採取事例Aとの比較が十分に説明つかなくてどうして妥当と判断できるでしょうか。以前の説明では内容毎に積み上げて計算しているが、個人情報うんぬんで示せないということではなかったか。仮に本当に無いのであれば、不動産鑑定士に改めて示すよう要請するか、最低限の納得できる説明を求めてください。どんぶり勘定鑑定、どんぶり勘定判断では理解不能です。

【もりかけ市】

前提として公共事業の鑑定を行う際にも、公示価格等を規準とするとされております。この規準ともりかけ市全体のバランス等を考慮しながら価格決定されます。塩立町といった同一地区内で同一住宅地であっても画地の整然性等によって価格差が生じます。今回のケースについても、標準地の存在する場所と宅地分譲された土地が存在する場所(事例地)とでは、画地の整然性等といった環境条件の格差が生じております。この格差率の妥当性については、公示価格・路線価・固定資産税評価額等を参考に判断しております。

【当方】

「価格差が生じます」ということを否定しているわけではありません。「同一地区内で同一住宅地であっても画地の整然性等によって価格差が生じます」ということをわかるように示してくださいといっているだけです。

【もりかけ市】

新たに宅地開発を行う際には地盤改良工事や切盛土工事、他には雨水整備のための調整池等を造ることになります。そのため、前述した内容にかかった費用を上乗せしたうえで土地の売却を行うため、一般的には近くにある既存宅地より割高な金額での取引となります。また割高の金額で取引される他の要因として、宅地造成に合わせた進入道路が新設される、画地が整然としている、上下水道が整備されているといったものがあげられます。

以上のことから標準地の存在する場所と宅地分譲された土地が存在する場所とでは価格差が生じております。この価格の妥当性については以前から申しあげておりますとおり、公示価格・路線価・固定資産税評価額等を参考に判断しております。

【当方】

事例地Aは、新たに宅地開発された土地ですか？　地盤改良工事や切盛土工事が実施され、調整池等を造ったり、進入道路が新設されたものですか？　事例地の内容は把握していないということでしたが、把握しているのですか？　事例地Aは、新たに宅地開発されたものではなく、既存宅地を更地にして売却されたものではありませんか？

いい加減などんぶり勘定的説明でなく、前に説明あった項目を当方で表にしたものに数値で示してもらえればすむことです。※P.84の表

【もりかけ市】

事例地は新たに宅地開発された土地ですか？ という質問ですが、以前申しあげましたとおりこの内容につきましては鑑定士にも聞き取りをおこなっており宅地開発された土地であることは間違いありません。また今までお示しした内容(環境条件100/125等)以上のものについて示しできるものはありません。

【当方】

代表事例(同一町内)である事例地Aについてたずねている。地盤改良工事や切盛土工事が実施され、調整池等を造ったり、進入道路が新設されたものですか？　鑑定士にも聞き取りを行なっており宅地開発された土地であることは間違いありませんということであるならば項目数値も聞き取って示してください。

【もりかけ市】

土地評価の件につきましては申し訳ありませんが、今まで以上のものを示すことはできません。

【当方】

今まで何か示したか、何も示していない。不誠実な対応である。

3.不動産鑑定(類似地域？)

数日の後、市より連絡が入った。

【もりかけ市】

不動産鑑定士との協議に時間がかかってしまったため、連絡が遅くなりました。土地評価の件について回答いたします。以前から申しあげておりますとおり、鑑定書中の記載については条件毎の数値しかありません。したがいまして環境条件の格差率 100/125といった数値以外に示すことができるものはありません。しかしご意見をふまえて不動産鑑定士に資料の提示を依頼しましたところ、当初は通常提示しないということで難色を示しておりましたが、こちらの事情を説明し別紙の資料を提示していただきました。

またこれ以上の詳細な情報はありませんので予めご了解をお願いいたします。なおこの格差率を使用しての比較については、標準地(標準地の存在する地域)と事例地A(事例 地Aが存在する地域)の比較であり所有の土地との比較ではないことを再度申しあげておきます

新規分譲地の居住環境

番号	項目	具体的内容	格差率
①	敷地の状態	・画地の面積、形状が概ね同一乃至は均衡が取れており、区画が整然と配置されている。 ・接面道路は、構造上最新の基準に基づいて築造されており、道路側溝に蓋がない等の危険性がない。	+5
②	建物の状況	・建物と建物の間隔が適度にあいてプライバシーの確保がなされている。 ・最新の耐震基準を満たしており、防災上優れている。 ・火災発生時に既存住宅密集地に比べて、延焼の可能性が低い。	+10
③	利用状況	・新築の住宅が建ち並び、景観にすぐれている。 ・空家等がなく、防犯上特に問題がない。	+10

この回答について次のとおり指摘した。

【当方】

今までの対応に比べれば、一定の誠実さもうかがえます。

しかしあまりにも遅きに失します。もっと早い段階で対応があれば、少々の問題には目をつむり、協力させてもらっていたでしょう。

当該不動産鑑定士の資質の問題もあったのかもしれませんが、言い訳けにはなりません。専門職(不動産鑑定士)の自分が判断したことだから正しいというブラックスボックス化は通用しない。不動産鑑定士は専門職としてたずねられたら、あらゆる知見と情報を公開提示して説明に努めるべきである。それを拒むのは専門職とはいえない。「通常提示しない」などという発言は、専門職として信じがたい言葉である。

内容的に未だ疑問は解消されていません。比較の中に一部分は地域の事情が反映されるが、あくまで標準地と事例地Aの比較であり、地域の比較ではない。しかも標準地と事例地Aは同一町内(同一地域)であり、地域差が大きくあるはずがない。

「当方の土地との比較ではない」ということをいわれたことは一度もない。標準地を基に当方の土地が評価されるわけであり、それは結果として事例地Aと当方の土地との比較になる。

格差率表は一般論である。事例地Aが、そうであるのか?仮に事例地Aが当てはまるのであれば、同一町内の標準地(当方の土地)も、全てとはいわないが表の項目の多くが当てはまることになる。したがって25%も差がつくはずがないと考えます。

この指摘に対して次のような回答があり、以下ただした。

【もりかけ市】
評価方法について説明させていただきます。まず近隣地域(標準地含む)の中に取引事例地 があればそこから選定します。次に近隣地域内に事例地が存在しない場合は、類似地域の中から選定します。その後、この類似地域と近隣地域とに格差があれば地域格差を設けることおよび個別的に格差があれば個別格差を設ける流れとなります。

今回については近隣地域内に取引事例がないため、類似地域から事例地採取しておりますが、標準地の存在する近隣地域(既存住宅密集地)と事例地Aの存在する類似地域(新規分譲地)で環境条件において先に回答した内容の地域格差が存在しております。また以前示した表は新規分譲地の居住環境の格差率表であるため、事例地Aの存在する地域についてはこの表に該当することになります。なお塩立町の中にも様々な地域が存在しております。したがいまして塩立町であるからという理由のみで、同一地域として扱われるわけではないことをご理解していただけたらと思います。

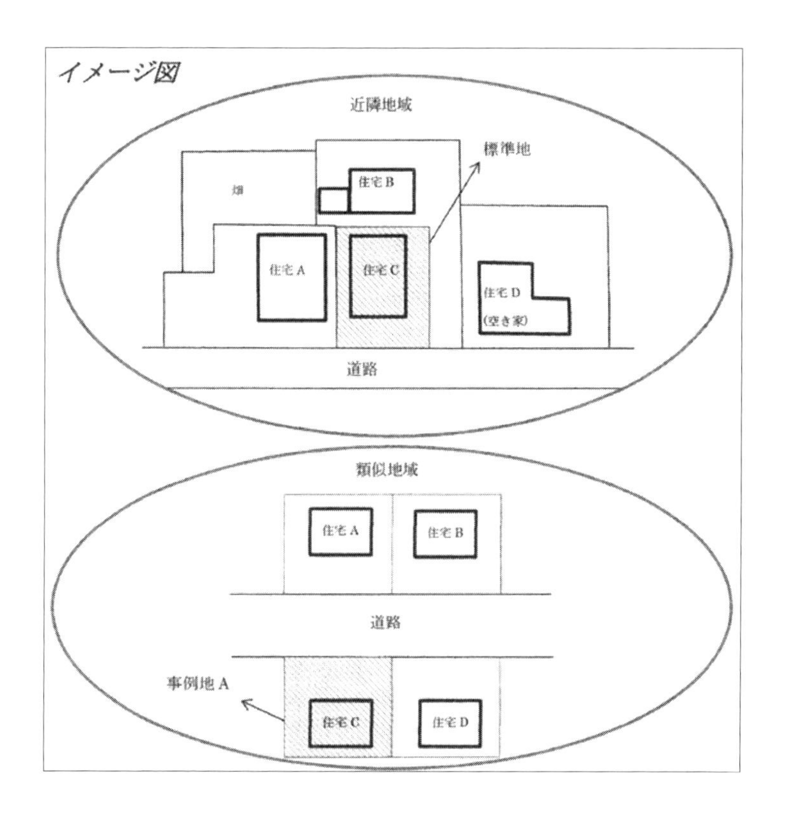

【当方】

採取取引事例Aは近隣地域内(当該地域内；塩立町一丁目)の取引事例と理解していましたが、類似地域ということですか？　近隣地域および類似地域の定義を知らせてください。新規分譲地の定義を知らせてください。

【もりかけ市】

①近隣地域および②類似地域の定義について、資料(参考文献：要説不動産鑑定基準より)を参照いただけたらと思います。

資料(参考文献：要説不動産鑑定基準より)

地域分析及び個別分析

されるものかどうか，変化するとすればどのような方向へと変化するものであるかを慎重に判定しなければならない。

2　用途的地域

(1)　近隣地域

近隣地域は，用途的地域のうち対象不動産をその内部に包含するものであり，それは「対象不動産の属する用途的地域であって，より大きな規模と内容とを持つ地域である都市あるいは農村等の内部にあって，居住，商業活動，工業生産活動等人の生活と活動とに関して，ある特定の用途に供されることを中心として地域的にまとまりを示している地域をいい，対象不動産の価格の形成に関して直接に影響を与えるような特性を持つものである」とされている。

不動産が他の不動産とともに一定の地域を構成するのは，自然的条件及び人文的条件の全部又は一部を共通にするからであり，その地域内に存する不動産に用途的な共通性が見られるからである。この用途的地域は，都市あるいは農村というような，それ自体である程度完結した生活圏を構成している地域社会にくらべると，それらより小さい規模の地域であり，居住，商業活動，工業生産活動等人の生活と活動とに関して，ある特定の用途に供されるという面で用途的な共通性を持ち，機能的にも同質性を持つものであり，その地域の中の不動産は相互に代替，競争等の関係に立ち，相互の価格間に緊密な牽連性を生ずることとなる。その結果当該地域内に存する不動産について，一定の価格水準が形成されることとなり，近隣地域に存する不動産に係る取引事例等は，鑑定評価方式の適用上において，最も価格牽連性の高い信頼性のある事例資料となる。

近隣地域は，客観的な地域区分として独立して存在するものではなく，対象不動産とその価格形成要因の分析の仕方によってその範囲が相対的に定まるものであるが，この近隣地域の把握に当たっては，地域の種別(第2章第1節)を細分化して近隣地域の用途を純化するほど鑑定評価の精度を高めることとな

③新規分譲地の定義について今回、不動産鑑定士が示している定義は「もともと宅地でなかった場所(田畑や空き地など)を新たに宅地造成して販売している土地のことをさす」とされています。

【当方】

近隣地域と類似地域を土地区画図上で示してください。

参考文献の要説不動産鑑定基準では、近隣地域を明確化するように記述されている。

新規分譲地の定義からすると、既存の住宅地の中の田畑や空き地が新規分譲されたケースも当たることになる。そのケースでは先に示されたイメージ図に必ずしもならない場合がある。したがってその場合、新規分譲地であっても先に示された居住環境表に自動的に該当(全ての項目が該当)することにはならない。今回、個別項目をチェックしたうえで全ての項目が該当すると判定し、したがって２５％格差とされたのか?

居住環境(環境条件)の格差率が、他の条件(画地条件他)の格差率に比べてあまりにも大きすぎないか?

【もりかけ市】

別紙赤○が近隣地域となります。

（資料_近隣地域）

類似地域につきまして、要説不動産鑑定基準では近隣地域と違い明確化しなければならないむねの記載がありません。また鑑定書にも類似地域の正確な場所は記されていないため、図面上に示すことはできません。

今回、個別項目をチェックしたうえで全ての項目が該当すると判定されたのかという質問ですが、こちらは全ての項目が該当すると判定されております。

また居住環境(環境条件)の格差率が他の条件(画地条件他)の格差率に比べあまりにも大きすぎないかということにつきましては、差率表にもとづいて判定されたものであるため、妥当な数値であると考えております。

【当方】

類似地域は明確化しなくてもよいとは規定されていない。類似地域が不明でどうして類似地域の取引事例を採取したといえるのか？

判定した結果の個別格差数値もさることながら、格差率表そのものの数値の妥当性についての疑問である。

「類似地域はこの地域を指し、取引事例はこのような家屋配置であり、この項目に該当し、何%の格差があると判定され、したがって合計これだけの格差(25%)が出ます」

というような説明を期待していました。そのような誠実な対応があれば、多少の問題があっても今回で終了の予定でいました。しかし相手を納得させようとする姿勢が感じられない対応をされれば、終了する気持ちにはなれません。

格差率表の出所を知らせてください。以前の環境条件項目(①日照・風向〜　⑧上下水道等の状態)との関係を知らせてください。環境条件に２５％も差のある地域を、どうして類似地域といえるのかも説明願います。鑑定書に書かれていなくても鑑定士に聞けばわかることだと思います。

【もりかけ市】

格差率表については不動産鑑定士が作成したものです。また環境条件項目等の内容(日照・風向等・地勢……等)については、専門的知識を有しない私どもが土地の評価をするときに参考とする土地価格比準表(住宅新報社発行)を引用しております。しかしながら今回のように専門的知識を有する不動産鑑定士が作成する鑑定書においては、実際に現地を確認しながらその地域に即した形での比準を行うため、不動産鑑定士の権限で比準表を作成するとのことです。

環境条件に２５％も差のある地域を、どうして類似地域といえるのかも説明願いますとのことですが、こちらは資料(参考文献：土地価格比準表)を参照していただけたらと思います。

のいずれに該当するかどうか。）に留意し、当該地域の性格と同一性のある地域を選定するものとする。

特に、別荘地域は、立地形態により高原型、海浜型、湖畔型等の利用形態により通年型、夏型、冬型等の地域的特性を有するので、地域の選定に当たっては注意しなければならない。

（地域の判定）

4．地域は、自然的及び社会的条件からみて土地の用途が同質と認められるまとまりのある地域ごとに判定することを原則とする。この場合、地域の範囲は、当該地域の価格水準（当該地域において一般的な標準的使用に供されていると認められる土地の価格水準）からみて、当該地域内のそれぞれの土地の価格（比準表の個別的要因の比較項目中の画地条件を適用する必要がない土地を想定した場合の価格）が上下30パーセント以内に分布する地理的範囲を一応の目安として判定することができるものとする。

なお、別荘地においては、原則として一別荘団地を一地域として取り扱うものとする。

（基準地の選定）

5．価格比準の基礎となる土地（以下「基準地」という。）は対象地の存する地域及び当該地域の地域区分と同一の地域区分に属する地域で同一需給圏内にあるものから選定するものとする。この場合において前記3のなお書きに掲げる地域の性格における同一性について留意するとともに、対象地の存する地域に係る地域要因と類似する地域（対象地の存する地域の価格水準に比べ、基準地の存する地域の価格水準が上位50パーセント及び下位30パーセントの範囲内にあるもの。ただし、別荘地及び郊外路線商業地にあっては価格水準が上位100パーセント、下位50パーセントの範囲内にあるもの）から選定するものとする。

なお、住宅地にあっては交通体系における同一性（同一鉄道沿線、同一市区町村等）、商業地にあっては営業の種別、規模における同一性、工業地にあっては規模における同一性、宅地（住宅地）見込地にあっては交通体系における同一性（隣接する駅勢圏）を併せて考慮しなければならない。

また、別荘地及び郊外路線商業地については、基準地として選定しうるものが少ないことが考えられるので、国土利用計画法の届出等の価格審査のために行われた鑑定評価の先例地を基準地とみなして取り扱うことができるものとする。

— 8 —

【当方】

類似地域を示してください。取引事例の土地・家屋配置を示してください。格差率表そのものの数値の妥当性について説明してください。

判定した結果の個別格差数値25％もさることながら、その判定基準となる格差率の数値が画地条件等、他の条件に比してあまりにも大きな数値である。一鑑定士が作成した比準表を、今までの経緯からしてにわかに信用するわけにはいかない。算定された格差率２５％を専門的知識を有しない当事者にも理解できる『土地価格比準表』（住宅新報社発行）により説明してください。

鑑定書は内容について専門家が判断して示し、その鑑定をもとに結論を導くものである。その内容は専門家の判断として尊重されるがすべてではない。難しい内容の場合、鑑定者により鑑定結果が異なることもある。また最近の例では、結論に沿った鑑定をでっち上げさせることもある。当事者が理解できないことを、水戸光圀の印籠（御上、資格）をかざすごとくして「誤りはない、下がりおれ」ということにはならない。

【もりかけ市】

類似地域を示してください、取引事例の土地・家屋配置を示してくださいということにつきましては、申し訳ありませんが資料に示す理由から類似地域及び取引事例の土地・家屋配置について、私どもも知り得ない情報となりますので示すことができません。資料は不動産取引の実例をできる限り多く収集する目的で、公益財団法人日本不動産鑑定士協会連合会が発行しているアンケート鑑文です。

（資料_アンケート鑑文）

（別紙）

アンケート調査の実施及び情報の取扱いについて

東京都港区虎ノ門3-11-15 SVAX TTビル
TEL 03-3434-2301
公益社団法人　日本不動産鑑定士協会連合会　会長

謹啓　時下ますますご清栄のこととお慶び申しあげます。

さて、当会は昭和４０年に建設省（現国土交通省）から社団法人として認可を受けた後、平成24年に内閣府公益認定等委員会の答申を受けて公益社団法人に移行した団体です。また、不動産の鑑定評価を行う国家資格者である不動産鑑定士等で構成されている団体であり、公的な地価の調査を通じて国民の皆様に対し不動産の取引の指標を提供する等、不動産の鑑定評価を通じて社会的な役割の一端を担ってまいりました。

今般、当会は国土交通省からの委託により、標記調査実務を行うこととなりましたので、ここにご案内させていただきますとともに、この調査へのご協力をお願いいたします。

なお、このアンケート調査票にご記入いただいた情報につきましては、個人情報保護法、公益社団法人日本不動産鑑定士協会連合会の定める「不動産の鑑定評価等業務に係る個人情報保護に関する指針（ガイドライン）」に則って、下記のとおり適切に取扱って参りますことを申し添えさせていただきます。

なお、不動産鑑定士及び不動産鑑定士補には「不動産の鑑定評価に関する法律」第６条により、また、不動産鑑定業者には同法第 38 条により秘密を守る義務が課せられておりますので、各々の責任において、ご回答いただいた内容の取扱いには万全を尽くさせていただき、鑑定評価等業務において外部に提供する場合には、物件の所在等を含め個人を識別できないように加工したうえで使用することを特に申し添えさせていただきます。

敬　具

土地価格比準表による環境条件の基準等につきましては資料のとおりです。この基準等を判断の一つの参考資料として使用したうえで現地を確認し、その土地に応じた格差率表を作成するとのことです。

今回のケースでいくと取引事例地の存在する類似地域は、新規に造成された宅地(都市計画法、建築基準法に基づき造成された土地であり宅地の面積等、新設道路の側溝等に一定の基準をクリアして造成された宅地)であるため、近隣地域(昔からの住宅が立ち並ぶ既存住宅密集地)と比較したときに不動産鑑定士が作成した格差率表に記載されている①敷地の状況、②建物の状況、③利用状況全ての項目において該当していると市では考えております。

（資料_土地価格比準表/環境条件1）

190　第5章　土地の評価

	細項目	判断基準	留意事項
交通・接近条件	最寄商店街への接近性	日常生活の需要を満たすに足りる最寄りの商店街で、地域住民の実際の消費活動に基づいて判定	接近性については、日中の買物の時間帯における時間距離を留意
	最寄商店街の性格	店舗数、業種、主要商品、商品の価格水準等により、商店街の規模や質について比較し判定	
	学校、公園、病院等配置の状態	日常生活の必要性から頻繁に利用する施設及び大きな便益をもたらす施設等の配置又は接近の程度 一般的には、小学校、病院等がこれに該当 各施設の位置、集中の度合い、日常生活の利便性を把握し判定	
環境条件	日照、温度、通風等気象の状態		街路の幅員、配置、眺望景観等の自然的環境、各画地の配置の状態、周辺の利用状態と関連性がある。
	眺望景観等の自然的環境等の良否	眺望等は視界を遮る障害物の有無、見通しの良否等の快適性について判定 地勢、地盤についても考慮	地勢は南東に緩く傾斜している丘陵地が最高 南西に傾斜している丘陵地が次位 北向き傾斜地は地勢条件で劣り 低地は最下位 本項目の格差は、別荘地の評価に適用すべきではない。
	居住者の近隣関係等の社会的環境良否	居住者の職業、職場等の種類がどのようなものであるか、居住者が所得財産等によって区分される階層のどの部分に属するものであるかを判定	都市施設等の良否だけでなく生活の方法等をも考慮 優良住宅地は、その知名度により地縁的選好性が働き、他の地域と代替性が薄れる。
	各画地の面積配置及び利用状態	各画地の面積がどのようになっているかによって、品等を判定	優良住宅地域は、比較的大きな面積を持った画地によって整然と区画され、専用住宅が大部分である。 混在住宅地域は、比較的小さい面積の画地が狭い道路で区画されている場合が多く、アパート、店舗併用住宅が混在している場合が多い。
	画地の標準的面積	当該地域における最もありふれた面積	優良住宅地域　300㎡以上 標準住宅地域　150～300㎡ 混在住宅地域　100～200㎡ 農家集落地域　300㎡以上

（資料_土地価格比準表/環境条件2）

	細項目	判断基準	留意事項
環境条件	各画地の配置の状態、土地の利用度	地積、形状等の均衡、配置の状態について判定 画地の有効利用の度合いは地域の熟成度を示すものであり、建築物等の敷地として利用されているかどうかを判定	街路の配置とも関連 公園、グラウンド等は公共利便施設として宅地の有効利用の一形態 優良住宅地域は、現に建物等の敷地として利用され住環境は良好で整備、熟成している地域であるため細項目として掲げていない。 宅地造成直後の分譲住宅は、優良住宅地域とは考えられない。
	周辺の利用状態	近隣地域における画地の利用状態、通常一般的な専用住宅を標準	地域的特性に即して、マンション、アパート、工場等の混在の度合いにより判定
	上下水道、ガス等の供給処理施設の状態	供給処理施設の完備された地域であるか、また、当該施設の整備事業の進捗状況等を考慮して判定	
	変電所等の危険施設、処理施設の有無	危険施設、処理施設の有無は、近隣地域に即して判定 近隣地域になくて、周辺地域に存する場合、当該施設の配置の状態を調査、それに基づく危険性、悪影響の度合いを判定	住環境が重視される優良住宅地域の格差率の幅は大きい。
	洪水等の災害発生の危険性	災害の種類、災害の発生の回数、災害による損失の広がり及び程度、災害防止措置などを総合的に判定	盛土、切土等によって造成された住宅地域については、崖くずれの危険性について十分検討する必要あり。
	騒音、大気汚染等の公害発生の程度	公害の種類、公害発生の頻度、公害の広がり及び程度等とこれらに対して講じられる防止措置等について検討して判定	
	居住者の移動及び家族構成等の状態	当該近隣地域（殆どの場合1集落が1単位となろう）について判定	居住者の移動増減、家族構成の老齢化等の現象が価格形成に大きな影響を与えるもので、農家集落地域に特有の項目
行政的条件	用途地域及びその他の地域地区等	都計法8条1項に掲げる地域地区及び街区等の全般にわたる規制を集合して総体についてその強弱を比較	土地利用の規制が土地価格に与える影響は一様でなく、規制の程度が強い場合、減価要因となり、また、規制の程度によっては良好な環境を促進し、増加要因となる場合がある。

また最新の土地取引事例地を確認しましたが、塩立町の土地取引相場は㎡単価10万円前後であるため、取引事例地102,000円は妥当であると考えております。

（資料_取引事例）

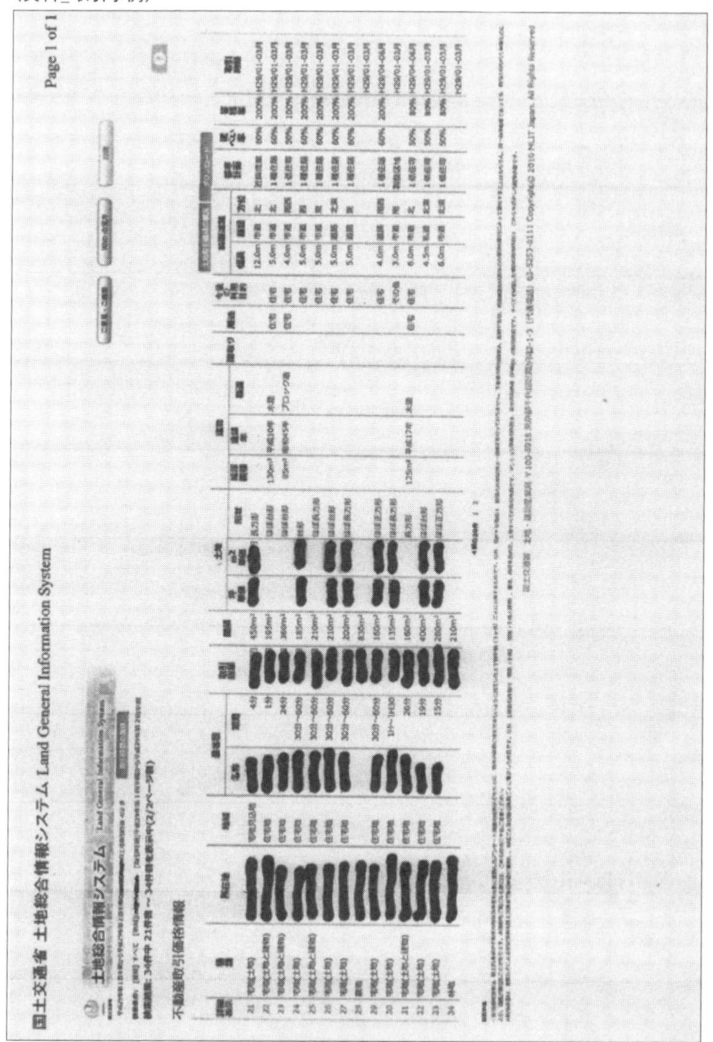

国土交通省 土地総合情報システム Land General Information System

Page 1 of 1

土地総合情報システム

不動産取引価格情報

【当方】

類似地域は個人情報保護にも守秘義務にも関係しないと思いますので示してください。不動産鑑定士に聞けば「私どもも知り得ない」ことにはならないでしょう。土地、家屋配置も、個人を識別できないよう加工すれば問題ないと思いますが、加工して示す気持ちがなければあえて要求しません。

質問の意味を理解してもらえません。環境条件を判定、算定した格差結果ではなく（格差結果に関しては、次のはなし）、それぞれの条件（画地条件　他）の格差幅のバランス（数％に対し、かたや２０数％の格差幅）をたずねています。なぜ環境条件が他の条件（画地条件　他）に比べて格差幅が大きいのか。土地価格比準表とは別に作成したという格差判定（格差率２５％）を、専門的知識を有しない者にも理解できるもともとの土地価格比準表により説明してください。別に作成した格差判定を土地価格比準表にバラシて個別にあてはめてもらうことを要望します。

同じ町内でも格差があると以前の説明でなされている。個別にも格差があろう。都合の悪い数値はこのことを理由として補正し、説明に都合の良い数値は格差を無視するのでしょうか。同一町内の最新の土地取引事例（国土交通省　不動産取引価格情報）は、以前示したとおりです（下記）。

地区	面積㎡	単価	取引
①塩立町一丁目	220㎡	¥130,000	H28年8月
②塩立町一丁目	189㎡	¥144,000	H28年8月
③塩立町一丁目	171㎡	¥148,000	H28年6月

これを、「塩立町の土地取引相場は㎡単価10万円前後である」といえるのでしょうか？

【もりかけ市】

類似地域は以前示した資料になりますが、事例Aが存在する地域内に類似地域が存在するとのことです。

なぜ環境条件が他の条件(画地条件他)に比べて格差幅が大きいのかということですが、土地価格比準表は不動産鑑定士が鑑定評価書で使う格差率を拘束するものではないため、不動産鑑定士が作成した格差率表を土地価格比準表に変換して説明することはできません。したがいまして公示価格等を基に説明させていただきます。

資料を参照いただけたらと思います。

（資料＿公示価格）

標準地・基準地検索システム

国土交通省
Ministry of Land, Infrastructure, Transport and Tourism

土地総合情報ライブラリー　土地総合情報システム　土地・建設産業局

TOP > 検索対象地域選択 > 検索条件指定 > 検索結果表示 > 詳細情報

国土交通省地価公示・都道府県地価調査

検索結果表示

検索条件：（地域）[illegible]（対象）地価公示・都道府県地価調査の両方（調査年）平成29年（用途区分）全て
（地価）全て

検索結果 34 件中 1 ～ 20 件目を表示中

「詳細を開く」ボタンを押すと、地価情報の詳細情報が表示されます。

都道府県地価調査　詳細を開く

基準地番号	[illegible]-1	調査基準日	平成29年7月1日
所在及び地番	[illegible]　地図で確認する		
住居表示			
価格(円/m²)	[illegible](円/m²)	交通施設、距離	[illegible] 1,500m
地積(m²)	163(m²)	形状（間口：奥行き）	(1.5:1.0)
利用区分、構造	建物などの敷地、LS（軽量鉄骨造）2F		

都道府県地価調査　詳細を開く

基準地番号	[illegible]-2	調査基準日	平成29年7月1日
所在及び地番	[illegible]　地図で確認する		
住居表示			
価格(円/m²)	[illegible](円/m²)	交通施設、距離	[illegible] 500m
地積(m²)	170(m²)	形状（間口：奥行き）	(1.0:2.5)
利用区分、構造	建物などの敷地、W（木造）2F		

都道府県地価調査　詳細を閉じる

基準地番号	[illegible]-3	調査基準日	平成29年7月1日
所在及び地番	[illegible]　地図で確認する		
住居表示	[illegible]		
価格(円/m²)	[illegible](円/m²)	交通施設、距離	[illegible] 1,200m
地積(m²)	213(m²)	形状（間口：奥行き）	(1.0:1.5)
利用区分、構造	建物などの敷地、W（木造）2F		
利用現況	住宅	給排水等状況	ガス・水道・下水
周辺の土地の利用現況	中規模一般住宅が建ち並ぶ利便性の良い住宅地域		
前面道路の状況	北東　6.0m　市区町村道	その他の接面道路	
用途区分、高度地区、防火・準防火	第一種住居地域	建ぺい率（%）、容積率（%）	60(%) 200(%)
都市計画区域区分	市街化区域		
森林法、公園法、自然環境等			

都道府県地価調査　詳細を開く

基準地番号	[illegible]-4	調査基準日	平成29年7月1日
所在及び地番	[illegible]　地図で確認する		
住居表示	[illegible]		
価格(円/m²)	[illegible](円/m²)	交通施設、距離	[illegible] 2,400m
地積(m²)	254(m²)	形状（間口：奥行き）	(1.0:2.0)
利用区分、構造	建物などの敷地、W（木造）2F		

都道府県地価調査　詳細を開く

基準地番号	[illegible]-5	調査基準日	平成29年7月1日
所在及び地番	[illegible]　地図で確認する		
住居表示	[illegible]		
価格(円/m²)	[illegible](円/m²)	交通施設、距離	[illegible] 1,200m
地積(m²)	204(m²)	形状（間口：奥行き）	(1.0:1.2)
利用区分、構造	建物などの敷地、W（木造）1F		

http://www.land.mlit.go.jp/landPrice/SearchServlet?MOD=2&nen_check=new&toun...

都道府県地価調査「もりかけ－３」と国土交通省地価公示「もりかけ－１」を比較しますと道路幅員等(街路条件)、駅からの距離等(交通接近条件)について、条件が同じにもかかわらず大きな価格差が生じております。この内容から街路条件、交通接近条件および行政的条件(用途地域も住居系で同一)でもほとんど差はついていないことがいえ、価格差が生じている理由は街路条件等先に掲げた条件以外の環境条件であるということが理解いただけると思います。この内容については、不動産鑑定士から説明を受けたものです。この説明を受け、私どもにおいても環境条件で２０％以上の価格差が生じることがあることを理解いたしております。

【当方】

類似地域をいい加減な○囲み表示ではなく、区域がきちんとわかる地図上で示していただきたい。類似地域の中から事例を採取しているのだから事例Aが存在する地域内に類似地域が存在するのは当然のことである。愚弄した回答である。

不動産鑑定士が作成した格差率表は何に拘束されているのですか？　説明では一不動産鑑定士が作成したものということでした。専門的知識を有しない者にもわかるよう、土地価格比準表により説明すべきではないか。

未だ質問の意味を理解できておられないようです。算定結果の２５％とは別に、なぜ環境条件が他の条件(画地条件　他)に比べて格差幅が理論的に大きいのかをたずねています。

理論上は別にして、取引実例上で差があるというならまだ理解できなくもないが、公示価格は取引事例ではない、取引事例等をもとに補正等を含めて算定された数値である。

仮にこれが取引実例とした場合でも事例比較として妥当であるか？

「もりかけ－３」(中央町)は、市の中心地であり最高価格地区であろう。道路幅員等(街路条件)、駅からの距離等(交通接近条件)について条件が同じであっても、バス等交通利便性・公共施設・商業施設等の利便性等、他地区と大きな差があり、価格も大きな差があって当然である。したがって類似地区ではないとされている。環境条件(新規分譲地；土地価格比準表での説明がないので、あえて新規分譲地とする)だけが価格差であるということの説明にはならない。

【もりかけ市】

類似地域を区域がきちんとわかる地図上で示してくださいということですが、個人が特定される可能性があるため、これ以上のものをお示しすることはできません。

不動産鑑定士が作成した格差率表は、何かに拘束されるものはありません。不動産鑑定士という資格を持って格差率表を作成しておられます。

画地条件その他の条件に比べて環境条件が大きく算定されている理由に関しまして、公示価格等の価格決定を行うのは不動産鑑定士で、不動産鑑定士が地価公示等を算出する際に実際に鑑定した鑑定評価書をご覧ください(別紙)

この鑑定書においても取引事例比較法を採用されているため、公示価格算出のための鑑定評価書と今回鑑定していただいた鑑定書の手法は同一です。この鑑定書の結果から他の条件に比べ、環境条件のみ突出して格差があることを理解いただけると思います。なぜ環境条件が大きく算定されているのかという問いに関しましては、対象地の存在する地域と事例地の存在する地域の居住環境が大きく相違しているからです(不動産鑑定士が提示した新規分譲地の居住環境の格差率表のとおり)。

(資料_鑑定書1)

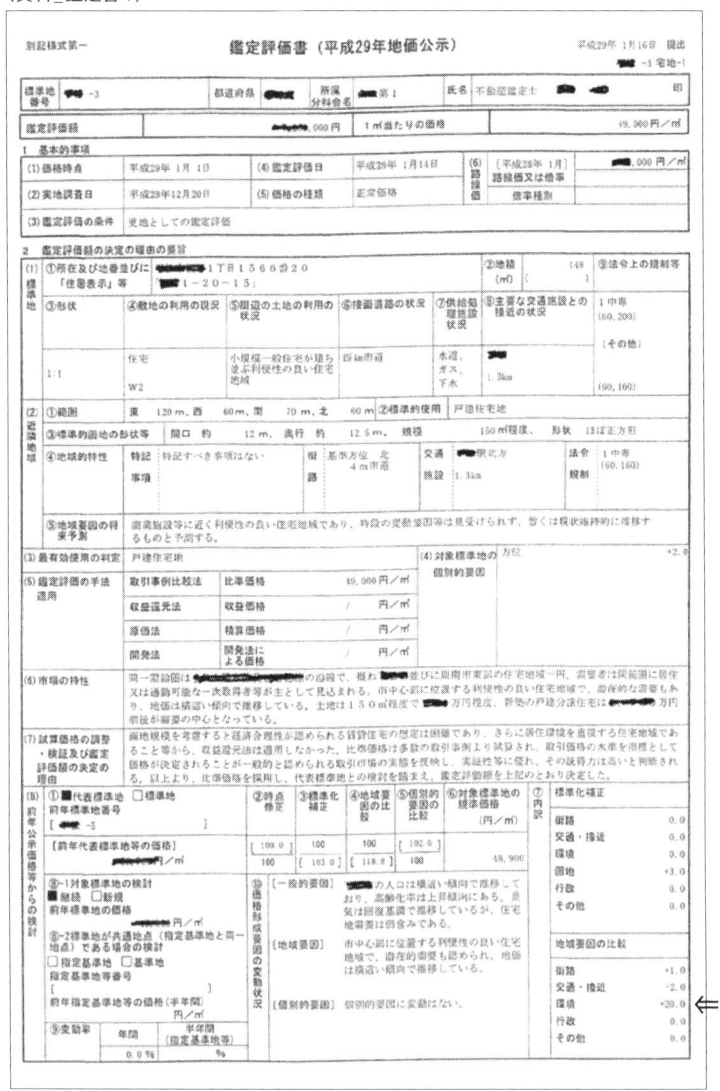

別記様式第一

鑑定評価書（平成29年地価公示）

平成29年 1月16日 提出

-3 宅地-1

標準地番号	-3	都道府県		所属分科会名	第1	氏名	不動産鑑定士	印

鑑定評価額	,000円	1㎡当たりの価格	49,000円／㎡

1 基本的事項

(1) 価格時点	平成29年 1月 1日	(4) 鑑定評価日	平成29年 1月14日	(6) 路線価	［平成28年 1月］路線価又は倍率	,000 円／㎡
(2) 実地調査日	平成28年12月20日	(5) 価格の種類	正常価格		倍率種別	
(3) 鑑定評価の条件	更地としての鑑定評価					

2 鑑定評価額の決定の理由の要旨

(1) 標準地	①所在及び地番並びに「住居表示」等	1丁目1566番20「1－20－15」				②地積（㎡）	148（ ）	⑨法令上の規制等
	③形状	④敷地の利用の現況	⑤周辺の土地の利用の状況	⑥接面道路の状況	⑦供給処理施設状況	⑧主要な交通施設との接近の状況		1中専（60, 200）（その他）（60, 160）
	1:1	住宅 W2	小規模一般住宅が建ち並ぶ利便性の良い住宅地域	四4m市道	水道、ガス、下水	1.3km		

(2) 近隣地域	①範囲	東 120 m、西 60 m、南 70 m、北 60 m	②標準的使用	戸建住宅地
	③標準的画地の形状等	間口 約 12 m、奥行 約 12.5 m、規模 150 ㎡程度、形状 ほぼ正方形		
	④地域的特性	特記事項：特記すべき事項はない　街路：基準方位 北 4 m市道　交通施設：駅北方 1.3km　法令規制：1中専（60, 160）		
	⑤地域要因の将来予測	商業施設等に近く利便性の良い住宅地域であり、特段の変動要因等は見受けられず、暫くは現状維持的に推移するものと予測する。		

(3) 最有効使用の判定	戸建住宅地		(4) 対象標準地の個別的要因	方位 +2.0
(5) 鑑定評価の手法の適用	取引事例比較法	比準価格 49,000円／㎡		
	収益還元法	収益価格 ／ 円／㎡		
	原価法	積算価格 ／ 円／㎡		
	開発法	開発法による価格 ／ 円／㎡		

(6) 市場の特性：同一需給圏は の沿線で、概ね 並びに周辺市町村の住宅地域一円。需要者は同需給圏に居住又は通勤可能な一次取得者等が主として見込まれる。市中心部に位置する利便性の良い住宅地域で、潜在的な需要もあり、地価は横這い傾向で推移している。土地は150㎡程度で 万円程度、新築の戸建分譲住宅は 万円前後が需要の中心となっている。

(7) 試算価格の調整・検証及び鑑定評価額の決定の理由：画地規模を考慮すると経済合理性が認められる賃貸住宅の想定は困難であり、さらに居住環境を重視する住宅地域であること等から、収益還元法は適用しなかった。比準価格は多数の取引事例より試算され、取引価格の水準を指標として価格が決定されることが一般的と認められる取引市場の実態を反映し、実証性等に優れ、その説得力は高いと判断される。以上より、比準価格を採用し、代表標準地との検討を踏まえ、鑑定評価額を上記のとおり決定した。

(8) 前年公示価格等からの検討

①■代表標準地 □標準地　前年標準地番号［ -5 ］	②時点修正	③標準化補正	④地域要因の比較	⑤個別的要因の比較	⑥対象標準地の規準価格（円／㎡）
［前年代表標準地等の価格］ 円／㎡	［100.0］/100	100/［103.0］	100/［118.8］	［102.0］/100	48,900

⑦内訳

標準化補正	
街路	0.0
交通・接近	0.0
環境	0.0
画地	+3.0
行政	0.0
その他	0.0

地域要因の比較	
街路	+1.0
交通・接近	-2.0
環境	+20.0
行政	0.0
その他	0.0

⇐

⑧-1対象標準地の検討
■継続 □新規
前年標準地の価格 円／㎡

⑧-2標準地が共通地点（指定基準地と同一地点）である場合の検討
□指定基準地 □基準地
指定基準地等番号［ ］
前年指定基準地等の価格（半年間） 円／㎡

⑨変動率	年間	半年間（指定基準地等）
	0.0 %	%

⑩価格形成要因の変動状況

［一般的要因］ の人口は横這い傾向で推移しており、高齢化率は上昇傾向にある。景気は回復基調で推移しているが、住宅地需要は弱含みである。

［地域要因］ 市中心部に位置する利便性の良い住宅地域で、潜在的需要も認められ、地価は横這い傾向で推移している。

［個別的要因］ 個別的要因に変動はない。

（資料_鑑定書2）

別記様式第一

鑑定評価書（平成29年地価公示）

平成29年 1月16日 提出

[illegible] -3 宅地-1

標準地番号	[illegible] -3	都道府県	[illegible]	所属分科会名	[illegible]第1	氏名	不動産鑑定士 [illegible] 印

鑑定評価額	[illegible],000円	1㎡当たりの価格	[illegible]00円／㎡

1 基本的事項

(1) 価格時点	平成29年 1月 1日	(4) 鑑定評価日	平成29年 1月12日	(6) 路線価	〔平成28年 1月〕路線価又は倍率	[illegible],000 円／㎡
(2) 実地調査日	平成28年12月16日	(5) 価格の種類	正常価格		倍率種別	
(3) 鑑定評価の条件	更地としての鑑定評価					

2 鑑定評価額の決定の理由の要旨

(1) 標準地

①所在及び地番並びに「住居表示」等	[illegible]丁目1566番20 （[illegible]1－20－15）	②地積（㎡）	148 （ ）	⑨法令上の規制等

③形状	④敷地の利用の現況	⑤周辺の土地の利用の状況	⑥接面道路の状況	⑦供給処理施設状況	⑧主要な交通施設との接近の状況	⑨法令上の規制等
1:1	住宅 W2	小規模一般住宅が建ち並ぶ利便性の良い住宅地域	西4m市道	水道、ガス、下水	[illegible] 1.3km	1中専 (60, 200) （その他） (60, 160)

(2) 近隣地域

①範囲	東 120 m、西 60m、南 70 m、北 60 m	②標準的使用	戸建住宅地
③標準的画地の形状等	間口 約 12 m、奥行 約 12.5 m、規模 150㎡程度、形状 ほぼ正方形		

④地域的特性	特記事項	特にない	街路	基準方位 北 4 m市道	交通施設	[illegible]駅北方 1.3km	法令規制	1中専 (60, 160)

⑤地域要因の将来予測：地域要因に大きな変化はみられず、ほぼ現状維持的に推移している。当該地域の地価は利便性の高い住宅地に対する根強い需要に支えられ、ほぼ横ばいの状態が続くものと予測される。

(3) 最有効使用の判定：戸建住宅地

(4) 対象標準地の個別的要因：方位 +2.0

(5) 鑑定評価の手法の適用

取引事例比較法	比準価格	49,000円／㎡
収益還元法	収益価格	／ 円／㎡
原価法	積算価格	／ 円／㎡
開発法	開発法による価格	／ 円／㎡

(6) 市場の特性：同一需給圏は概ね[illegible]内の[illegible]の住宅地域。需要者の中心は[illegible]市内の利便性の良い住宅地を選好する市内の居住者であり、同一需給圏外からの転入者は少ない。可処分所得の伸び悩み等を背景に住宅地需要の低迷が続いているが、利便性の良い住宅地に対する需要は根強く、地価はほぼ横這い状態。土地は150㎡程度の規模で[illegible]万円程度、新築の戸建物件は[illegible]万円程度の物件が需要の中心となっている。

(7) 試算価格の調整・検証及び鑑定評価額の決定の理由：近隣地域は「[illegible]」の北方約1.3km付近に位置する住宅地域で、画地規模が小さく、経済合理的な賃貸住宅の経営は非現実的であるため収益価格は試算しなかった。居住性を重視する住宅地域であり、自用目的での取引が大半で、取引価格を指標に価格が決定されることが一般的であるので、比準価格を標準とし、代表標準地との検討を踏まえ、鑑定評価額を上記のとおりと決定した。

(8) 前年公示価格等からの検討

①■代表標準地 □標準地 前年標準地番号［[illegible]-5］	②時点修正	③標準化補正	④地域要因の比較	⑤個別的要因の比較	⑥対象標準地の規準価格（円／㎡）
〔前年代表標準地等の価格〕[illegible]円／㎡	[100.0]／100	100／[103.0]	100／[118.8]	[102.0]／100	48,900

⑦内訳

標準化補正	
街路	0.0
交通・接近	0.0
環境	0.0
画地	+3.0
行政	0.0
その他	0.0

地域要因の比較	
街路	+1.0
交通・接近	−2.0
環境	+20.0 ⇐
行政	0.0
その他	0.0

⑧-1対象標準地の検討
■継続 □新規
前年標準地の価格 [illegible]円／㎡

⑧-2標準地が共通地点（指定基準地と同一地点）である場合の検討
□指定基準地 □基準地
指定基準地等番号［ ］
前年指定基準地等の価格（半年前） 円／㎡

⑨変動率	年間	半年間（指定基準地等）
	0.0％	％

⑩価格形成要因の変動状況

〔一般的要因〕景気の先行き不透明感が増しており、少子高齢化社会の進行や可処分所得の伸び悩み等を背景に住宅地需要は低迷し、市場の二極化が続いている。

〔地域要因〕将来不安等を背景とする住宅地需要の低迷が続いているが、利便性の高い住宅地に対する需要は根強く、地価はほぼ横這い状態で推移している。

〔個別的要因〕個別的要因に変動はない。

【当方】

類似地域を示すことにより、どうして個人が特定されるのか。

環境条件のみ突出して大きい数値なのはなぜかを聞いている。なぜ大きく算定されているのかという問いに対して、大きな差(相違)があるからというのは、答えになっていない。

地域の居住環境が大きく相違していることを何をもって判断するか。その程度(格差数値)を何を基準にして判定するのか。一鑑定士がかってに策定した数値表(新規分譲地の格差表)が、なぜ妥当といえるのか根拠を示してください。

示された資料から唯一いえることは、1名でなく2名の鑑定士の数値で同じように大きな数値が出ており、妥当な数値ではなかろうかということだが絶対的根拠にはならない。談合して作成している場合もある。

取引事例比較法の内容が不明であるが、字句から判断すると実際の取引実例と比較して判定するようにと考えられるが、示された資料では他の公示価格との比較であり、実際の取引実例との比較ではなく、あくまで算定された公示価格を基に算定された数値と思われる。算定の数値根拠を聞いている。

なぜ地域の居住環境が大きく相違している地点との比較をするのかについても理解できない。

【もりかけ市】

類似地域を示すことにより、どうして個人が特定されるかとのことですが、類似地域を示すことにより場所が特定されます。そこから分間図※及び登記簿謄本を取得することにより個人の特定につながる可能性があるためお示しはできません。

新規分譲地の格差率表の妥当性についてですが、公共事業における土地評価の規準となるべき公示価格および路線価と不動産鑑定士が格差率表を基に導き出した金額を比較したうえで妥当であると判断しております。また地価公示についてですが、2人の不動産鑑定士の鑑定評価結果を土地鑑定委員会が審査調整して正常な価格の判定を行ったものであるため、極めて信憑性は高いものであると考えております。

【当方】

場所(特定の土地)が特定されれば、分間図および登記簿謄本を取得することにより個人の特定につながるのだろう(そのようなことをする必要、なぜあるのかわからないが)。

※分間図：登記所(法務局)に備え付けられている地図

地域が示されて、どうして場所が特定（特定の土地が特定）されるのか？　地域が特定されるだけであり、いかにして土地が特定されるのか？

妥当であると判断する根拠をたずねている。結果を妥当と判断するから、したがってその根拠も妥当とする理屈は成り立たない、本末転倒の議論である。

幾度となくたずねていることですが、あらためてたずねます。簡単なことです。当該地の評価に際し、類似地域の取引事例を採取して比較した。比較するにあたり諸々の格差を補正して判断したということだと考えますが、その補正について（新規分譲地の格差率表の妥当性について）たずねているだけです。

公示価格の信憑性を問題にしてはいません。それを問題にしたら議論が成り立たなくなる。問題としてはなぜ地域の居住環境が大きく相違している地点（公示価格）との比較をするのか、および公示価格をもとに算定した数値の妥当性（格差表の妥当性）である。

【もりかけ市】

地域が特定されれば、分間図及び登記簿の取得ができるようになります。その後、面積等から対象地の特定につながる可能性があり、その結果、個人の特定につながる可能性があるためにお示しすることはできません。

なぜ地域の居住環境が大きく相違している地点との比較をするのかということですが、事例地の存する地域と近隣地域との地域格差が３０％以内であることおよび対象地と同じ塩立町一丁目内の取引であったため、採取されております。

公共事業の土地価格決定権者は起業者であるもりかけ市です。そこで市が公示価格をもとに算定した結果は97,600円でございます。また価格決定する際には原則、不動産鑑定士の意見を求めることとされているため、鑑定書を取得しております。市が算定した価格(97,600円)と不動産鑑定士が鑑定した価格(100,000円)に大きな差異がないため、本来であれば市が算定した価格を採用するのが原則となります。しかし市が算定した価格より不動産鑑定士が算定した価格の方が、信憑性が高いことを理由に鑑定の価格を採用しております。ご理解いただけたらと思います。

なお不動産鑑定士の鑑定結果の内容にご納得できないということであれば、原則どおり市が算定した価格を採用させていただく方向も検討したいと考えております。

【当方】

説明に窮し、鎧の下からなんとかのようです。公共事業だ、買収だと驕った意識の下で、不誠実な説明や対応が発端で今日に至っていることを未だにわかっておられないようです。

不動産鑑定士の算定であろうが市の算定であろうが、同様である。市の算定価格を採用するというのであれば、専門資格者が比較考量に妥当として採取した取引事例価格と市の算定価格の格差を説明してください。

【もりかけ市】

不動産鑑定士は４取引事例地を採取したうえで、価格決定されております。対しまして市では公示価格地を規準としたうえで価格決定しているため、取引事例地は採取しておりません。市では詳細な取引事例地を把握できないため、正確な批准を行うことができないからです。

市が算定した価格(97,600円)を不動産鑑定士が出した価格と比較した結果、大きな差異はないため妥当なものであると考えております。

【当方】

お得意のはぐらかし回答の感があるが、本題の鑑定結果の説明(新規分譲地の格差率の妥当性の説明)はできないということでしょうか？

あえてはぐらかしに乗ってたずねるならば、取引事例の価格と市が算定した価格の差異は、不動産鑑定士が算定した価格との差異より大きな差異があることの説明を求めます。

市が算定した価格は、公示価格を基に算定しているので、取引事例の価格は関係なしで無視してよいということにはならないだろう。

この差異(市が算定した価格と取引事例の価格)について、今まで問題にはしていない。鑑定以前の内容(差異)だからである。市の算定を採用することを持ち出されたのであえてこのことをただしただけである。

市の算定内容については、今まで中身についてただしていない、説明される用意があるのであれば、それはそれで説明してもらえればけっこうである。

市の算定価格と鑑定価格は別物ではない。公示価格を基に算定した価格と取引事例を基に算定した価格、それぞれの答えが二つあるわけではない。それぞれの数値とその他を考量して一つの答えを出すのではないか。「専門資格者の算定は信憑性が高い、鑑定結果は妥当」と言い張ってきて、いまさらそれは別物で預かり知らないなどという不誠実の上塗りはやめていただきたい。

【もりかけ市】

以前から申しあげておりますとおり、価格の決定権者は起業者であるもりかけ市です。土地価格決定の流れを再度説明させていただきます。まず公示価格を規準とし、市が算定を行います。次に原則として、不動産鑑定士の意見を求めることとされているため、鑑定書を取得いたします。その後、市が算定した価格(97,600円)と鑑定書の価格(100,000円)との間に大きな開差があれば、価格の妥当性について検討することになります。今回については大きな開差はないため、本来であれば市が算定した価格97,600円を採用するのが原則となります。

しかしながら大切な土地を買収させていただくということを考慮し部局内で協議をさせていただいた結果、それぞれの数値その他を考量したうえで100,000円という価格としております。

また本題である鑑定結果の説明についてですが、我々としましては金額の妥当性の判断しかできません。金額の妥当性から判断して、鑑定士が提出した新規分譲地の格差率は妥当なものと考えております。したがいまして申し訳ありませんが、金額の妥当性以外の説明を行うことはできません。

【当方】

「金額の妥当性の判断しかできません」ということだが、どうして妥当と判断できるのでしょうか。新規分譲地の格差率は妥当なものといえるのでしょうか。市の算定が妥当であるかどうかを鑑定数値から判断しょうとしているわけであって、市の算定と開差がないから鑑定数値は正しいということならない。根拠と答えを混同した自己矛盾を起こしている。鑑定数値いかんにより大きな開差があるかもしれないではないか。

何度たずねても同じことで、時間ばかり費やすことになりますので、鑑定結果の説明(新規分譲地の格差率の妥当性の説明)はできないこととしてとりあえず横に置きましょう。

言われているように取引事例地が実際に、新規分譲地でいう項目すべてに該当し２５％もの格差があるものなのか。このさい仕方ありませんので先に進めるために、当方で現地検分に行きます。こじつけ理由としか思えない個人情報を盾に隠し続け、説明をしないのには何らかの隠すべき事情があるのではないかという疑いを持ちます。

④買収価格（公示価格？）

数万円の交通費をかけ、現地を訪問し調査した。想像していたとおり不動産鑑定士から聞いたという土地環境内容はうそであった。しかしこれによって得られるメリットは大きいものではなく、いつまでも関わっているわけにはいかないので次のような提案をした。

【当方】

取引事例地Ａを現地検分しました。たしかに新規に分譲された土地家屋ではあるが、古い街並みの土地家屋・道路・荒地の中を虫食い的に開発して分譲されたもので「新規分譲の居住環境」でいう具体的内容とは程遠いものである。

仮に格差率が正しいとしても各項目すべてが該当することにはならず２５％もの格差があることにはなりません。

しかしこれ以上、延々と無駄な時間、労力、費用をかけたくありませんので問題はあるものの終了したいと思います。

次の算定結果資料にもとづき110,000円/㎡で売買に応じることとしたいと思います。

考え方は次のとおりです。

□最も重視すべきは、当該地区(塩立町一丁目)の取引事例である。
採取取引事例A、および不採取取引事例２件。

□市が公示価格から求めたという数値は説明を受けていないが、敬意を表して算定の基礎とする。

□採取取引事例Aの数値は算定に採用するが、補正の根拠が示されていない環境条件については補正100/100とする。他の条件(画地条件　他)の補正は鑑定のとおりとする。

□当該地区(塩立町一丁目)の取引事例で不採取取引事例２件は補正して採用すべきであると考えるが、現段階では未補正であるので採用しない。参考とする。
隣接地区の武下の取引事例も補正して採用すべきであるが、未補正であるので採用しない。参考とする。

□類似地域(近隣地区)の採取事例B、Dは、ノーチエックだが一応補正済みであるのでその数値は採用し、市が公示価格(採取事例Cと同地区)から算定したという数値と合せて平均値を求める。

□その平均値と最も重視すべき当該地区(塩立町一丁目)の取引事例である採取取引事例Aとの中庸値を算定価格とする。

(資料_算定内容)

売買価格　算定

区分	地区	場所	時期	㎡	取引価格 (¥/㎡)	補正	¥/㎡
取引事例価格(A)	当該地区	塩立町一丁目	H28年8月	221	130,000	街路 画地 100/101×100/101 ＝127,40(（チエック）	**127,400** ※最重視すべき当該地区取引価格
取引事例価格(B)	近隣地区	塩立町二丁目	H28年5月	250	96,000	103,000（ノーチエック）	(平均) 99,800
取引事例価格(D)	類似地区	里美町二丁目	H28年5月	541	110,000	98,800（ノーチエック）	
取引事例価格	近隣地区	武下	H28年1月～	193~223	(124,000～156,000	6件　不採取)	
公示価格(取引事例C同地区)	類似地区	水帆町一丁目	―	228	95,400	街路 画地 市算定 100/101×100/101.5＝97,600（ノーチエック）	
平均価格							**113,600**

⇩ 売買価格 **110,000**

※当該地区
不採取 取引事例 塩立町 一丁目　144,000（ H28年6月　189㎡ ）
塩立町 一丁目　148,000（ H28年6月　171㎡ ）

これに対する市の回答は次のとおりであった。

【もりかけ市】

公共事業の用に供する土地の取得価格の算定の準則が地価公示法第９条に記載されております。提出のありました売買価格算定表を拝見したところ売買価格110,000円に対し公示価格を基に算定した価格は97,600円となっております。この価格差につきましては、地価公示法第９条に記載の「取得価格を定めるときは、公示価格を規準としなければならない」の内容に合致しておりません。

また以前からお話しさせていただいておりますが、それぞれの数値、その他を考量したうえで標準地を100,000円としております。この価格と所有の土地を比較した結果、103,000円/㎡を買収単価とさせていただきたいと考えております。なおこの金額につきましては、不動産鑑定士の鑑定結果を踏まえたうえで、市が価格決定したものです。したがいまして、金額の変更はできないことを申し添えます。

この回答に対して最後のやりとりをした。

【当方】

市が公示価格から求めたという数値も算定に加えており当方は規準としていると考えるが、規準としていないというならその理由を説明してください。当方としては1日でも早く終了したいと思い、問題はありながらも大幅に譲歩しているつもりです。

不動産鑑定士の鑑定結果を踏まえたうえでとは何か、具体的に示してください。不動産鑑定士の鑑定結果を根拠の一つとするなら、根拠に値するということを証明してください(取引事例地が「新規分譲の居住環境」でいう具体的内容であることを示してください)。

【もりかけ市】

地価公示法第11条に「標準地の公示価格と対象土地の価格との間に均衡を保たせることをいう」と記載されております。明らかに97,600円と110,000円とでは均衡を保てておりません。以上が理由でございます。

【当方】

規準にしているかと、均衡を保っているかは別である。条文は公示価格を規準とすることの意義として「一又は二以上の標準地との位置、地積、環境等の土地の客観的価値に作用する諸要因についての比較を行ない、その結果にもとづき均衡保たせることをいう」となっている。

どうして規準としていないというのか？　当方の価格算定においては、公示価格を規準として算定していると考える(したがって算定価格は￥127,400でなく、￥113,600と算定している)。

今回は新たな話しとして、「明らかに均衡を保てておりません」とのことだが、なぜそう言えるのか説明してください。

【もりかけ市】

鑑定結果の額である100,000円をふまえたうえで、市が算出した価格(97,600円)を比較し、それぞれの数値その他を考慮したうえで価格決定をしております。前回から申しあげておりますとおり、鑑定額をふまえなければ97,600円を標準地の価格として採用することになります。

【当方】

答えになっていませんので前回の内容を、再度述べます。

「不動産鑑定士の鑑定結果を踏まえたうえで」とは何か、具体的に示してください。

不動産鑑定士の鑑定結果を根拠の一つとするなら、根拠に値するということを証明してください(取引事例地が「新規分譲の居住環境」でいう、具体的内容であるを示してください)。

疑義のある鑑定数値でなく、正しい数値をふまえるべきことをいっている。市の妥当とする数値が正しいというなら、それが正しいことを証明してください。

どうして「鑑定額を踏まえなければ、97,600円を標準地の価格として採用することになります」となるのか？　鑑定額をふまえなければ、取引事例と公示価格を考慮した価格となるべきである。

6.買収価格（決定権者？）

土地収用法では土地買収価格は起業者と土地所有者の任意の交渉（話し合い）で決められるが折り合いがつかない場合、最終的には都道府県の収用委員会※が裁決（審査して決定）することになっている。市は過去の慣習から自分たちが価格を決める権限があると思い込んでいるのか、意識的にうそを言っているのかわからないが決定権限について以下をたずねた。

【当方】

「公共事業の土地価格決定権者は起業者であるもりかけ市でございます」についてその根拠を示してください。

【もりかけ市】

もりかけ市が定める土地評価格事務取扱要綱にもとづきます（土地評価格事務取扱要綱一部抜粋）。第1条「この要綱は、土地の取得及び処分にあたって適正な地価の形成を図るために、土地の評価格の決定について必要な事項を定めるものとする」

【当方】

この要綱、条文がどうして「公共事業の土地価格決定権者は

※収用委員会：法律、経済又は行政に関してすぐれた経験と知識を有し、公共の福祉に関し公正な判断をすることができる者のうちから、議会の同意を得て、知事が任命する７名の委員で構成。

起業者であるもりかけ市でございます」の根拠になるのか理解できません。

【もりかけ市】

地価公示法第９条に「土地収用法その他の法律によって土地を収用することができる事業を行う者は……、当該土地の取得価格を定めるときは、公示価格を規準としなければならない」と記載されております。この条文中の事業を行う者とは、事業者であるもりかけ市でございます。

【当方】

前回の回答は「もりかけ市が定める土地評価格事務取扱要綱にもとづきます」ということだったが、理解できないので説明を求めた。なんら説明なく今回は新たに地価公示法を持ち出しているが、前回の回答は何だったのか？。

今回の回答である地価公示法も事業を行う者が決定権者であるとはどこにも言っていない。そもそも、地価公示法は第1条(目的)「この法律は、都市及びその周辺の地域等において、標準地を選定し、その正常な価格を公示することにより、一般の土地の取引価格に対して指標を与え、及び公共の利益となる事業の用に供する土地に対する適正な補償金の額の算定等に資し、もつて適正な地価の形成に寄与することを目的とする」とあるように決定権者を規定するような法律ではない。

おわりに

当方に法的素養のある知人の存在がなければ、市の提示に疑問を持つこともなく納得させられていたことであろう。

市のでっち上げ表や条文解釈、鑑定評価、決定権限等、多くのうそ、ごまかしに気付かずに終わっていたであろう。

土地収用委員会の裁定を仰ぐことまで追い込むこともありえたが、当局において自分たちが決めるものだと思い込んでいるごとく、仮に裁定になっても当局の息がかかっている委員の裁定にどの程度期待できるかわからないし、時間(公費、税金)を限界なく使って対応を続けられ、結果いかんにかかわらず、費用対効果においてメリットが少ないものに終わる可能性を考えて、不本意ながら市の提示した価格で売買契約を締結し売却をした。

突然、世界を襲った新型コロナウィルスにより、もりかけ問題等は過去のものとなりつつあるように思われる。

積年の負の遺産の責めをお粗末な民主党政権で帳消しにし、今度は、その後のつけをコロナ禍で帳消しにしようとすることが予測される。

研究開発等もっと役立つものに使うべき税金を、うそで塗り固めていかにも役に立っているように装った施策やオリンピック等に浪費し、国民財産破綻のつけをコロナ禍のせいにして逃げることは許されない。

田中賢二

田中賢二（たなかけんじ）
メーカー勤務30年（教育，人事、営業、企画業務 等を経てベンチャー企業経営）後、コンサルタント。

土地買収顛末記
行政のうそ ごまかし

2020年11月30日　初版第１刷発行

著者　田中賢二

発行所　みなみ出版企画編集室
〒333-0866埼玉県川口市芝2-13-14
電話　048-261-0434
発行所　株式会社星雲社（共同出版社・流通責任出版社）
〒112-0005東京都千代田区水道1-3-30
電話03-3868-3275

装　丁　オールージュ（関山欣壱）
印刷所　モリモト印刷株式会社

Printed in Japan　ISBN978-4-434-28304-8 C0036